Edition Literatur- und Kulturgeschichte

In der Flut der Bilder, Töne und Texte aus den Medien ist eine neue Kultur des Sehens, Hörens und Lesens vonnöten. Ihr will die Reihe *Vom Umgang mit …* assistieren. Sie unterstützt einen Unterricht, in dem Inhalt und Form gleiche Geltung haben, der Anschluss herstellt an Alltagserfahrungen und tatsächliche Gewohnheiten, der befähigt zu selbstständigem Umgang mit der Angebotsfülle aus der Kommunikationsindustrie.

Über die Autoren

Werner Kamp, geb. 1962 in Mönchengladbach; Studium der Anglistik (Sprach- und Literaturwissenschaft) und politischen Wissenschaften in Aachen und Edinburgh; 1992/95 wissenschaftlicher Angestellter am Institut für Anglistik der Rheinisch-Westfälischen Technischen Hochschule Aachen, Projekt: Film und Literatur; 1995 Promotion (*Autorkonzepte und Filminterpretation.* Frankfurt a. M./ Bern u. a.: Peter Lang 1996); seit 1996 Lehrer für Bild- und Tongestaltung sowie Dramaturgie an der Georg-Simon-Ohm-Schule (Medienberufsschule) in Köln, daneben seit 1997 Lehrauftrag ›Film‹ an der Universität zu Köln.

Manfred Rüsel, geb. 1960 in Baesweiler b. Aachen; Studium der Germanistik und Soziologie in Aachen; 1990 wissenschaftlicher Mitarbeiter am Germanistischen Institut der Rheinisch-Westfälischen Technischen Hochschule Aachen, Schwerpunkte: Film und Literatur, Medienkunde; seit 1991 Lehrbeauftragter ebd. sowie Referent der Bezirksregierung Köln für Film und Fernsehen; 1997 Ausbilder an der Georg-Simon-Ohm-Schule (Medienberufsschule) in Köln; daneben als selbstständiger Medienberater tätig für verschiedene öffentliche Träger, Organisation und Durchführung von Open-Air-Kinotourneen des Bundesumweltministeriums.

Publikationen: *Neues Lexikon des Judentums* (Hg. Julius H. Schoeps. Gütersloh/München: Bertelsmann Lexikonverl. 1992; Mitautor: Judentum und Film), Filmkritiken und -essays in diversen Zeitschriften.

Werner Kamp
Manfred Rüsel

Vom Umgang mit Film

Volk und Wissen Verlag

»Vom Umgang mit ...«
Herausgegeben von Hannelore Prosche

Die Deutsche Bibliothek – CIP-Einheitsaufnahme
Kamp, Werner:
Vom Umgang mit Film / Werner Kamp und Manfred Rüsel. – 1. Aufl., 1. Dr. –
Berlin : Volk-und-Wissen-Verl., 1998
(Edition Literatur- und Kulturgeschichte)
ISBN 3-06-102824-2

ISBN 3-06-102824-2
Bestellnummer 102824

1. Auflage
5 4 3 2 / 07 06 05 04

© Volk und Wissen Verlag GmbH & Co., Berlin 1998
Printed in Germany
Redaktion Hannelore Prosche
Umschlaggestaltung Gerhard Medoch
Gesetzt aus der Aldus der Firma Adobe
Satz Volk und Wissen Verlag GmbH & Co., Berlin
Druck Saladruck, Berlin

Inhalt

Einführung

»Denn es gibt bedeutungslose Worte, aber
es gibt kein bedeutungsloses Bild.«
(Béla Balázs: Der sichtbare Mensch [1924].
In: B. B.: Schriften zum Film. Bd. 1, S. 105)

Der vorliegende Band richtet sich vor allem an Lehrerinnen und Lehrer, die mehr über das erzählerische Potential des Mediums Film erfahren und den Film im Unterricht sachkundig einsetzen wollen.

Die Literatur zum Thema ›Film‹ ist nahezu unüberschaubar, jedoch gelten nur wenige Werke analytisch-methodischen Aspekten der Film- und Bildgestaltung, und ein Großteil davon ist bereits veraltet. Dies ist umso misslicher, als in den aktuellen Lehrplänen fast aller Bundesländer die Beschäftigung mit audiovisuellen Medien vorgegeben ist. ›Medienerziehung‹ jedoch ist kein eigenständiges Fach; vielmehr soll ›Medienkompetenz‹ integrativ im Fachunterricht und fächerübergreifend vermittelt werden – als Leitfächer werden Deutsch, Kunst, Musik und der gesellschaftswissenschaftliche Unterricht genannt. Lehrerinnen und Lehrer *müssen* also audiovisuelle Medien – speziell den Film und das Fernsehen – in der einen oder anderen Weise in den Unterricht einbeziehen.

Angesichts der angesprochenen Materiallage und der Vorgaben ist das nicht unproblematisch, zumal Medienkunde bis heute nur an wenigen Hochschulen integraler Bestandteil der Lehrerausbildung ist. Faktisch sind Lehrerinnen und Lehrer gezwungen, sich mit einer Materie zu beschäftigen, deren Potential für viele neu ist. So ist etwa eine Deutschlehrerin, die nun plötzlich das Thema ›Filmisches Erzählen‹ behandeln muss, zu vergleichen mit einer Lehrerin für Mathematik, die im Physikunterricht eingesetzt wird. Auch wenn filmische und literarische Strukturen Gemeinsamkeiten aufweisen, unterscheiden sich ihre Zeichensysteme dennoch grundsätzlich.

Um ein Buch genießen zu können, müssen wir lesen lernen. Schule und Hochschule vermitteln ein Instrumentarium, das uns hilft, ein Werk zu analysieren und zu interpretieren. Von den Vertretern des literarischen Realismus beispielsweise wissen wir, dass Naturschilderungen nicht bloßes Schmückwerk sind, sondern immer auch eine Bedeutung für den Fortgang der erzählten Geschichte haben. Jede erwähnte Blume, die am Wege steht, jeder Baum, gegen den sich jemand lehnt, signalisiert innere Befindlichkeiten, charakterisiert Personen oder deutet voraus auf Kommendes. Wir haben also als Lesekundige gelernt, aufmerksam zu sein und die vielen kleinen Hinweise rechts und links der erzählten Geschichte in unsere Rezeption einfließen zu lassen.

Um einen Film zu sehen, brauchen wir nichts gelernt zu haben – so meinen die meisten zumindest. Aber sind wir wirklich in der Lage, Filmbilder auf ihren Sinngehalt hin zu entschlüsseln? Denn gegenüber der einfachen Geschichte, die im Film erzählt wird, ist ein Filmbild geradezu aufgeladen mit Bedeutung. An einem Filmbild – ob europäischer Kunstfilm oder Hollywood-Actionfilm – ist nichts zufällig. Jede Einstellung wird vorher minutiös geplant, und die Regisseure wissen ganz genau, wie sie die kleinen Dinge rechts und links von der erzählten Geschichte arrangieren müssen, um dem Filmbild Bedeutung zu geben, Spannung zu erzeugen, zu charakterisieren, vorauszudeuten oder gar ironisch zu kommentieren.

Filme müssen wir also ebenfalls lesen lernen. Dann werden wir auch im Falle der Literaturverfilmung feststellen, dass sie alles kann – auch komplizierteste Textoperationen umsetzen. Sie muss sich eben nur einer anderen, einer mediumspezifischen Sprache bedienen.

Seit 1991 sind wir, die Autoren, als Referenten für Film und Fernsehen in der Lehrerfortbildung tätig und erarbeiten mit Lehrerinnen und Lehrern methodisch-didaktische Konzepte zum Umgang mit dem Film. Ein Hauptanliegen dabei ist es, sich den audiovisuellen Medien unverkrampft zu nähern. Es geht nicht darum, den ungezügelten Medienkonsum kategorisch zu verdammen, und auch nicht darum, Actionfilme gegen ambitionierte Literaturverfilmungen auszuspielen. Wir arbeiten mit den Klassikern des Films genauso wie mit aktuellen Hollywoodfilmen. Der ernste Filmessay erfährt die gleiche Aufmerksamkeit wie die leichte Unterhaltungsware. Und so ist auch dieses Buch konzipiert. Die Bandbreite der behandelten Beispiele reicht von den ersten laufenden Bildern der Filmgeschichte bis hin zu den aktuellen Trends im Kino.

Unser Ziel – das gelungene Sprechen über den Film und die Aneignung systematisch geordneter Analyseparameter – wird anhand zahlreicher Filmbeispiele im Kontext filmhistorischer Entwicklungen vermittelt, ergänzt durch ›Unterrichtspraktische Hinweise‹ in den Kapiteln II–IV.

Das erste Kapitel gilt den einzelnen Konstituenten eines Filmbildes (Kamera, Licht, Farbe) und des Tons (Geräusche, Sprache, Musik). Diese separat vorgestellten Elemente werden in den beiden nächsten Kapiteln in einen größeren Gestaltungszusammenhang gestellt. Hierbei haben sich die Kategorien ›Bildgestaltung‹ beziehungsweise ›Bildkomposition‹ (Mise en Scène) und ›Montage‹ als hilfreiche Unterscheidungskriterien erwiesen.

Macht die Bildgestaltung die Gesamtkonzeption eines Filmbildes aus

(Kamerabewegungen, Bildaufbau, Personenchoreografie etc.) und wird sie direkt am Drehort festgelegt, so wird in der Montage das gedrehte Filmmaterial am Schneidetisch so bearbeitet, sortiert, kombiniert und zusammenfügt, dass – in der Regel – eine chronologische Filmerzählung entsteht. Hierbei rücken die unterschiedlichen Montagekonzepte und Montageformen in den Vordergrund. Aber auch die aktuelle Schnittästhetik im Zeitalter des Videoclips wird vorgestellt.

Die wichtigsten Begriffe und Kriterien der Filmanalyse, die in den ersten drei Kapiteln behandelt werden, sind in Abbildung 1 (↗ S. 11) auf einen Blick erkennbar.

Das Kapitel ›Filmisches Erzählen‹ behandelt die narrativen Strukturen des Mediums unter den auch in der Literatur gebräuchlichen Aspekten ›Erzählperspektive‹ und ›Exposition‹. Obwohl die Literaturverfilmung nicht zentraler Bestandteil dieses Bandes ist, werden in einem Exkurs Ansätze für eine adäquate Behandlung an zwei gängigen Beispielen der filmischen Adaption von Literatur aufgezeigt.

Viele der bis hierhin vorgestellten Kriterien zur Untersuchung eines Films erfahren durch neue Manipulationstechniken, die die Computertechnologie erst ermöglicht, eine Relativierung. Die Frage, ob Film noch ›Wirklichkeit‹ abbildet, wird angesichts der neuen Technologien, die zunehmend auch Eingang in den privaten Bereich finden, an Bedeutung gewinnen. Daneben verändern sich die Strukturen in den Medienbranchen immer weiter, hin zu einem multimedialen Verbundsystem. Auf diese Tendenzen wird im Kapitel ›Film im Multimediazeitalter‹ eingegangen.

Die im Text vorkommenden wichtigen Fachtermini sind im ›Glossar‹ zum Nachschlagen alphabetisch aufgelistet. Empfehlenswerte weiterführende Literatur ist in den ›Literaturhinweisen‹ unter einzelnen Aspekten zusammengefasst, sämtliche in diesem Band zitierten Filme schließlich sind in der ›Filmografie‹ versammelt.

Filme werden mit ihrem deutschen Titel und bei der ersten Erwähnung mit dem Jahr ihrer Erstaufführung genannt, da die gängigen deutschsprachigen Lexika und auch die Videotheken in der Regel nach den deutschen Titeln sortieren. Die Originaltitel sind in der Filmografie mit Herstellungsland und Regisseurnamen aufgeführt.

Die meisten Filmbeispiele wurden unter dem Aspekt der Verfügbarkeit ausgewählt. Viele Filme können als Videokassette in den entsprechenden Abteilungen der städtischen Bibliotheken oder – im Falle neuerer Kinohits – in der örtlichen Videothek ausgeliehen werden. Darüber hinaus gibt es zahlreiche Video-Versandhäuser mit einem wachsenden Angebot an Klassikern und zeitgenössischen Filmen zu erschwinglichen Preisen.

Schließlich besteht noch die Möglichkeit des Mitschnitts von Sendungen des Fernsehens.

Zur Frage der Zulässigkeit des Einsatzes von Filmen/Filmbeispielen im Unterricht ist vorausschickend zu sagen, dass für audiovisuelle Medien andere gesetzliche Regelungen gelten als für Printmedien:

Die freie Nutzung (d. h. jegliche Form öffentlicher Darbietung) von im Fernsehen mitgeschnittenen Filmen oder Serienfolgen, von gekauften oder privat überspielten Videofilmen bedarf generell der Genehmigung des Urheberberechtigten (Verleih, Film- oder Videoproduktionsgesellschaft) und muss in der Regel auch honoriert werden.

Das heißt aber nicht, dass jeglicher Einsatz von Filmen oder Filmbeispielen notwendig mit dem Erwerb eines speziellen Vorführrechts und einer Honorierung verbunden sein muss. Hier ist der Spielraum zwar eng, die Rechtslage jedoch eindeutig:

1. Die Herstellung einzelner Vervielfältigungen für den privaten Gebrauch ist nach §53 des Urheberrechtsgesetzes (UrhG[1]) als Ausnahme vom Urheberrechtsschutz zulässig, das gilt auch für die Aufnahme von Fernsehsendungen mit Videorekorder oder das Überspielen von Videofilmkassetten.

2. Nach §15 UrhG ist die Vorführung eines Videofilmes oder eines TV-Mitschnitts zulässig, wenn sie *nicht öffentlich* ist, das heißt vor »einem zahlenmäßig begrenzten, durch persönliche Beziehungen miteinander oder mit dem Veranstalter verbundenen Personenkreis« stattfindet – was bei einer Vorführung vor einer Klasse, einem Kurs oder einer Projektgruppe der Fall ist.

1 (Stand von 1998)

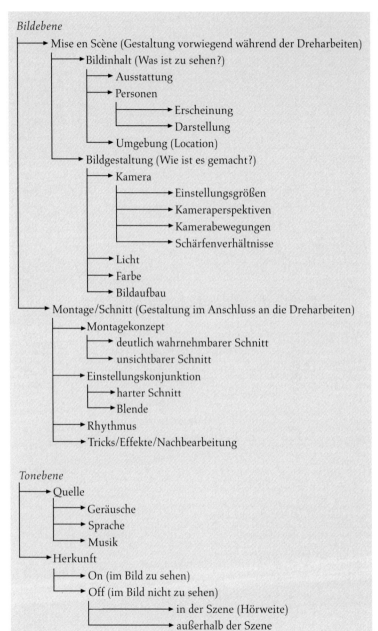

Bildebene

- Mise en Scène (Gestaltung vorwiegend während der Dreharbeiten)
  - Bildinhalt (Was ist zu sehen?)
    - Ausstattung
    - Personen
      - Erscheinung
      - Darstellung
    - Umgebung (Location)
  - Bildgestaltung (Wie ist es gemacht?)
    - Kamera
      - Einstellungsgrößen
      - Kameraperspektiven
      - Kamerabewegungen
      - Schärfenverhältnisse
    - Licht
    - Farbe
    - Bildaufbau
- Montage/Schnitt (Gestaltung im Anschluss an die Dreharbeiten)
  - Montagekonzept
    - deutlich wahrnehmbarer Schnitt
    - unsichtbarer Schnitt
  - Einstellungskonjunktion
    - harter Schnitt
    - Blende
  - Rhythmus
  - Tricks/Effekte/Nachbearbeitung

Tonebene

- Quelle
  - Geräusche
  - Sprache
  - Musik
- Herkunft
  - On (im Bild zu sehen)
  - Off (im Bild nicht zu sehen)
    - in der Szene (Hörweite)
    - außerhalb der Szene

1 Kategorien der Filmanalyse

I Analyse von Bild und Ton

Film ist ein Medium, das mit einer Vielzahl von visuellen und akustischen Signalen arbeitet, die nicht alle bewusst wahrgenommen werden. Deshalb empfiehlt es sich, zu Beginn einer systematischen Filmanalyse Bild- und Tontrakt voneinander zu unterscheiden.

Bild

Ein Filmbild kann man nur dann sinnvoll beschreiben, wenn inhaltliche Fragen mit grundlegenden Gestaltungsaspekten des Mediums verknüpft *linked* werden. Aus dieser Kombination inhaltlicher und filmtechnischer Beobachtungen ergeben sich im Weiteren dann – zwangsläufig – Fragen nach der Aussage des jeweiligen Bildes. Die Leitfrage der Filmanalyse lautet also: Was wird wie mit welcher Wirkung gezeigt?

Für die systematische Vorgehensweise erscheint es ratsam, die genaue Beschreibung mit der kleinsten unterscheidbaren und bedeutungstragenden Einheit des Films zu beginnen.

Einstellung

Diese kleinste filmische Einheit ist die Einstellung (*Shot*). Sie wird definiert als »kontinuierlich belichtetes, ungeschnittenes Stück Film« (Monaco 1995, S. 551). Eine Einstellung ist somit der Zeitraum von einem Schnitt zum nächsten. Oft lassen sich schon anhand der Anzahl der Schnitte pro Film oder pro Sequenz Aussagen über den Charakter des Films treffen: Eine hohe Schnittfrequenz (viele Einstellungen) bedeutet meist auch ein hohes Erzähltempo (Actionfilme), eine geringe Schnittfrequenz verweist eher auf ein langsames Erzähltempo.

Für einen durchschnittlichen Hollywoodfilm der fünfziger Jahre galten 700–1 000 Einstellungen in 90 Minuten als Norm. Diese Anzahl hat sich bei den Mainstreamfilmen der neunziger Jahre nahezu verdoppelt. Ein Actionfilm wie *Terminator 2 – Tag der Abrechnung* (1991) weist ungefähr 2 000 Einstellungen auf und *Natural Born Killers* (1994) mehr als 3 000! Das Ende dieser Tendenz ist offensichtlich noch nicht erreicht.

aufweisen = features exhibit, have.

13

Eine Einstellung kann unter verschiedenen Gesichtspunkten genauer beschrieben werden. Die für die Filmanalyse wichtigsten sollen im Folgenden in ihren Erscheinungsformen und dramaturgischen Funktionen vorgestellt werden. Es sind dies Einstellungsgrößen, Kameraperspektiven, Kamerabewegungen innerhalb der Einstellung sowie Licht und Farbe.

Einstellungsgrößen

Mit ›Einstellungsgröße‹ wird das Verhältnis des abgebildeten Objekts in seinem Abstand zur Kamera bezeichnet. Als Bezugspunkt wird der menschliche Körper gesehen. Obwohl es potenziell unendlich viele Einstellungsgrößen gibt, hat man sich in der Filmanalyse (wie auch bei der praktischen Arbeit mit der Kamera) auf acht Standardgrößen geeinigt:

Panorama (auch Weit) Landschaftsaufnahme – etwa die Ansicht des Monument Valley im Western, bei dem die herannahende Kavallerie nur ganz klein im Verhältnis zur Umgebung zu erkennen ist.

Totale Abbildung einer oder mehrerer Personen, im Vergleich zu den Figuren dominiert die Umgebung, Körperhaltung als Ausdrucksmittel.

Halbtotale Person in ihrer unmittelbaren Umgebung, in einem ausgewogenen Verhältnis.

Halbnah Personen nicht mehr vollständig zu sehen, wichtig wird die Gestik der Person als Ausdrucksmittel.

Amerikanisch Abgeleitet aus einer Einstellung im Western, wo die Person ab Pistolengurt hüftaufwärts zu sehen ist.

Nah Brustbild einer Person, Mimik steht im Vordergrund des schauspielerischen Ausdrucks.

Groß Aufnahme eines Gesichts, nicht die äußere Situation steht jetzt im Mittelpunkt des Interesses, sondern die innere Befindlichkeit der Person.

Detail Bildfüllend zu erkennen sind nur noch Teile des Gesichts – Augenpartie, zusammengekniffener Mund usw. –, einzelne Details sprechen für das Ganze – Pars pro toto.

Natürlich sind nicht alle Filmbilder eindeutig einer bestimmten Einstellungsgröße zuzuordnen. Oft muss man bei einer Filmanalyse entscheiden, welcher abgebildete Gegenstand oder welche Person im Zentrum des Interesses steht, um dann die Einstellungsgröße bestimmen zu können.

Im Folgenden werden die Funktionen der einzelnen Einstellungsgrößen veranschaulicht. Anhand einer bekannten Filmszene soll erläutert werden, wie die jeweiligen Größen in einem Handlungszusammenhang dramaturgisch wirksam und folgerichtig eingesetzt werden können.

2 a–d »Der unsichtbare Dritte« (USA 1959, Alfred Hitchcock):
Einstellungsgrößen – Panorama, Totale, Halbtotale, Halbnah

In einer Schlüsselszene des berühmten Thrillers *Der unsichtbare Dritte*
(1959) von Alfred Hitchcock wartet die Hauptfigur Roger O. Thornhill
auf ihren geheimnisvollen Widersacher George Kaplan (Abb. 2 a–d und
3 a–d).
    Die Szene beginnt mit der Ankunft des Busses in einer völlig kargen
Landschaft. Thornhill steht nahe der Bushaltestelle am Straßenrand und
wartet. Jedem herankommenden Auto schaut er erwartungsvoll entgegen. Schließlich hält ein Wagen und ein Mann steigt aus. Thornhill geht
auf den Fremden zu und fragt ihn, ob er Kaplan sei. Der wenig freundliche
Zeitgenosse will hier jedoch nur auf den Bus warten. Vor dem Einsteigen
wundert er sich noch über das Flugzeug am Horizont, das Insektenvernich-
tungsmittel auf Felder sprüht, die schon längst abgeerntet sind. Thornhill, wieder allein, beobachtet, wie das Flugzeug immer näher kommt, und
plötzlich weiß er, es fliegt direkt auf ihn zu und wird ihn attackieren. Im
Weiteren folgen verschiedene Angriffe des Flugzeugs auf Thornhill. Zunächst wird auf ihn geschossen, er versucht in Deckung zu gehen und zu
fliehen. Als er sich in einem Maisfeld versteckt, verstreut das Flugzeug
Insektengift, um ihn aus dem Feld zu treiben. Thornhill versucht vergeb-
lich, auf der Straße vorbeifahrende Wagen anzuhalten. Er stoppt schließ-

lich einen Öltankwagen, indem er auf der Straße stehen bleibt und dabei fast überfahren wird. Das tief fliegende Flugzeug rast in den Tankzug und verursacht eine große Explosion. In dem allgemeinen Durcheinander an der Unfallstelle gelingt Thornhill die Flucht mit dem Auto eines Neugierigen.

Alfred Hitchcock zur Idee für diese Szene:

»Ich wollte mich gegen die Schablone stellen. Ein Mann kommt an einen Ort, wo er wahrscheinlich umgebracht wird. Wie wird das im Allgemeinen gemacht? Eine finstere Nacht an einer engen Kreuzung in einer Stadt. Das Opfer steht im Lichtkegel einer Laterne. Das Pflaster ist noch feucht vom letzten Regen. Großaufnahme einer schwarzen Katze, die eine Mauer entlangstreicht. Eine Einstellung von einem Fenster, hinter dem schemenhaft das Gesicht eines Mannes auftaucht, der nach draußen blickt. Langsam nähert sich eine schwarze Limousine undsoweiter. Ich habe mich gefragt, was das genaue Gegenteil einer solchen Szene wäre. Eine völlig verlassene Ebene in hellem Sonnenschein, keine Musik, keine schwarze Katze, kein geheimnisvolles Gesicht hinterm Fenster.«

(Zit. nach: Truffaut 1973, S. 250)

Die Szene ist ein Musterbeispiel für den Spannungsaufbau. Sie bietet ebenso eine beispielhafte Anwendung der acht Einstellungsgrößen und ihrer Funktionen.

Während der Phase des Wartens bewegt sich das Spektrum zunächst zwischen Panorama und amerikanischer Einstellung. Die Panorama-Aufnahme zu Beginn der Szene hat zugleich die Funktion eines *Establishing Shot*, einer Einführung in die neue Situation: Wir sehen den Ort des Geschehens, die großflächige, karge Landschaft und die staubige Straße, auf der Thornhill mit dem Bus ankommt. Die Weite der Einstellung lässt ihn regelrecht ›ausgesetzt‹ erscheinen (Abb. 2 a). Die absurde Situation – ein Geschäftsmann steht wartend allein in der Wüste – wird durch die folgenden Aufnahmen noch unterstrichen. Die zweite Einstellung zeigt Thornhill in einer Totalen an der Landstraße, am linken Bildrand stehend, was die Leere der Umgebung wiederum betont (Abb. 2 b).

Nachdem der Mann auf der anderen Straßenseite aus dem Wagen gestiegen ist, sehen wir ihn aus dem Blickwinkel Thornhills in der Halbtotalen (Abb. 2 c). Thornhill geht erwartungsvoll auf ihn zu. Beide werden halbnah aufgenommen (Abb. 2 d). Diese Einstellungsgrößen fangen die unmittelbare Umgebung (die Straße, das gegenüberliegende Feld) im Bild mit ein. Thornhill fragt den Fremden, ob er Kaplan sei. Der verneint schroff. Thornhill wartet weiter.

Die Aufnahme Thornhills bis zur Hüfte (Amerikanisch) gibt seine Erwartungshaltung körpersprachlich besonders gut wieder: Er steht lässig mit den Händen in der Hosentasche, nähert sich ein Auto, zieht er die

3 a–d »Der unsichtbare Dritte«: Einstellungsgrößen – Amerikanisch, Nah, Groß, Detail

Schultern erwartungsvoll hoch und entspannt sich wieder, wenn es vorbeirast (Abb. 3 a).

Die erste Nahaufnahme der Sequenz folgt. Thornhills Neugier ist geweckt, weniger seine Körperhaltung als seine Mimik drücken die Situation und seine Empfindungen aus (Abb. 3 b).

Nach dem ergebnislosen Gespräch und der Abfahrt des Busses beobachtet er das Flugzeug mit dem Insektenpulver. In dem Moment, wo er realisiert, dass es direkt auf ihn zufliegt, folgen verschiedene Naheinstellungen seines Gesichts, die seine Irritation und seine zunehmende Panik betonen. Seine weiteren Flucht- und Deckungsversuche werden, kombiniert mit Aufnahmen des angreifenden Flugzeugs, in einer Abfolge von totalen, halbtotalen, halbnahen und amerikanischen Einstellungen gezeigt, die das Geschehen optimal einfangen, das heißt, den Zuschauerinnen und Zuschauern werden jeweils genau die optischen Informationen vermittelt, die sie zum Verständnis der Szene brauchen (erneuter Angriff, Thornhill entdeckt das Maisfeld usw.) und die eine größtmögliche Spannung garantieren.

Bei dem Versuch, den Tankwagen anzuhalten, verengt sich der Bildausschnitt dann noch einmal signifikant: Als Thornhill erkennt, dass der

Wagen nicht mehr rechtzeitig halten kann, ist sein panischer Gesichtsausdruck in einer Großaufnahme zu sehen (Abb. 3 c), und der Kühlergrill des Lasters erscheint folgerichtig in einer Detailaufnahme. Der Kühlergrill ist das Letzte, was in Thornhills Blickfeld gerät, bevor der Tank über ihn hinwegrollt, und deshalb für ihn besonders gefährlich und von großer Bedeutung (Abb. 3 d).

Ein solch breites Spektrum von Weit- und Detailaufnahmen kann allein im Kinofilm voll ausgeschöpft werden. Nur auf einer großen Leinwand kommt eine Panoramaeinstellung wirklich zur Geltung. Die große Raumwirkung von Monumentalfilmen etwa geht auf dem Fernsehbildschirm zwangsläufig verloren. Deshalb wird im Fernsehen vor allem mit Einstellungsgrößen aus dem mittleren Spektrum (zwischen Halbtotale und Großaufnahme) gearbeitet. In einer Serie wie *Lindenstraße*, die fast ausschließlich in Innenräumen spielt und sehr viel Handlung durch Dialog transportiert, dominieren folglich Einstellungen, die die sprechenden Personen und ihre Reaktionen optimal einfangen können.

Eine besondere Bedeutung kommt jeweils der letzten Einstellung jeder Episode zu, wenn auf den dramaturgischen Höhepunkt zugesteuert wird. Eine wichtige aufgeworfene Frage (meist ein emotionaler Konflikt) wird nicht beantwortet, stattdessen fährt die Kamera auf die betreffende Person bis zur Großaufnahme, worauf der Abspann einsetzt (*Cliffhanger*-Prinzip). Diese letzte Großaufnahme streicht den inneren Konflikt der Figur heraus. Jetzt geht es nicht mehr um eine allgemeine Beschreibung eines Gesprächs oder um die Darstellung einer äußeren Situation, vielmehr signalisiert die Großaufnahme den Zuschauerinnen und Zuschauern einen Gefühlszustand (der aber unaufgelöst bleibt, damit man auch beim nächsten Mal wieder einschaltet).

Vor allem in der Werbe- und in der Videoclipästhetik seit den achtziger Jahren hat sich die Anwendung von Groß- und Detailaufnahmen stark erhöht. Waren diese Einstellungsgrößen bis dahin vor allem emotionalen und dramaturgischen Höhepunkten vorbehalten, so arbeitet die Clipästhetik jetzt bevorzugt mit ihnen, ihres Signalcharakters wegen. Oft ist ein Gesamtzusammenhang (durch entsprechende Einstellungsgrößen) kaum noch herstellbar. In einer schnellen Abfolge von signifikanten Details, die erst im Kopf der Zuschauerin oder des Zuschauers durch Kombination ›sinnvoll‹ werden, wird eine Fetischisierung von Objekten oder Stars erreicht (↗ Film im Multimediazeitalter, S. 137–139).

signicance [handwritten annotation]

Für die Analyse der Einstellung und ihrer jeweiligen dramaturgischen Funktion spielt die gewählte Kameraperspektive eine wichtige Rolle. Ob die Kamera von einem erhöhten oder niedrigen Standpunkt blickt oder ob sie das Geschehen aus der normalen Perspektive einfängt, jedesmal erhält das Bild eine andere Aussagekraft. Die veränderte Wirkung der Einstellung durch die Veränderung des Kamerastandpunkts wurde früh erkannt.

Die Kamera gibt uns vor, *was* und vor allem *wie* wir zu sehen haben. Im Gegensatz zum Theater haben wir beim Film keine Möglichkeit, unsere eigene Perspektive zu wählen. Einstellungsgröße und Kamerastandpunkt bilden eine untrennbare Einheit, legen unseren Blick fest und stellen somit die unmittelbarste physische und psychische Verbindung zwischen den dargestellten Personen oder Objekten und dem Publikum her.

Die gebräuchlichste Kameraperspektive ist die *Normalsicht*. Sie fängt das Geschehen in Augenhöhe der Protagonisten ein und versucht, unsere ›normale‹ perspektivische Wahrnehmung abzubilden. Selbstverständlich muss die Kamera in Augenhöhe Objekte und Personen, die kleiner sind, von oben betrachten und umgekehrt. Die Normalsicht beispielsweise auf den Kölner Dom wäre immer nach oben gerichtet. Ein Film für Kinder hingegen hat einen niedrigeren Kamerastandpunkt zu wählen, damit das Publikum die Welt aus den Augen der Kinder wahrnehmen und sich mit ihnen identifizieren kann. Die Erwachsenenwelt aus der Sicht eines Kindes müsste insofern aus der *Untersicht* gefilmt werden.

Aus der Untersicht aufgenommene Objekte und Personen vermitteln einen völlig anderen Eindruck als aus der Normalsicht. Dabei lässt sich auch hier keine gesetzmäßige Aussageintention der Perspektive festmachen. Vielmehr wirkt sie, wie jedes filmische Mittel, immer abhängig vom dramaturgischen und gestalterischen Kontext. Die Untersicht kann die abgebildete Person heroisch-überlegen wirken lassen wie bei der Hitlerdarstellung in den Filmen von Leni Riefenstahl, ebenso kann sie einen lächerlichen Effekt haben wie Chaplins Hitlerdarstellung in *Der große Diktator* (1942). In der Regel soll durch Untersicht jedoch eine bedrohliche Atmosphäre kreiert werden.

In *Nosferatu* (1921) – der ersten Filmversion von Bram Stokers Roman *Dracula* (1897) – wurde, um das Unheimliche des Vampirs noch zu verstärken, die Kamera auf dem Boden des Schiffsladeraums postiert (Abb. 4a). Diese extreme Untersicht lässt den Betrachter sehr klein und hilflos werden. Ähnlich wirkt die Kameraperspektive im zeitgenössischen *Terminator* (1984). Der Bedrohungscharakter des Killer-Roboters in Menschen-

4a »Nosferatu« (D 1921, F. W. Murnau), b »Terminator« (USA 1984, James Cameron): Kameraperspektiven – Untersicht

gestalt wird durch die starke Untersicht gesteigert (Abb. 4b). Im Fall von *Nosferatu* kann man auch von *Froschperspektive* sprechen, die wiederum in ihrer extremsten Ausprägung – vertikal nach oben gerichtet – ungeheure Suggestivkraft besitzt. Beliebt sind Aufnahmen von Zügen oder Autos, die über den Betrachter hinwegzufahren scheinen und einen optischen Schockeffekt erzielen.

Das Gegenteil der Untersicht ist die *Aufsicht* (auch Obersicht). Objekte und Personen, die aus einer erhöhten Perspektive aufgenommen werden, wirken – je nach Kamerawinkel – kleiner, hilfloser, einsamer. Die extremste Aufsicht filmt das Geschehen vertikal von oben. Diesen Kamerastandpunkt nennt man *Vogelperspektive*.

Als vierte, wenn auch wesentlich seltener eingesetzte Kameraperspektive soll noch die *Schrägsicht* (auch gekippte Kamera) erwähnt werden. Hier ist die Kamera nach rechts oder links gekippt, sodass eine schräge Sicht entsteht. Sie evoziert einen stark irrealen Eindruck. In Filmen, in denen der Bedrohungscharakter etwa von Häusern ausgeht (*Psycho II*, 1982; *Amityville Horror*, 1978), werden diese beispielsweise schräg und in Untersicht aufgenommen.

Das Wechselspiel mit den verschiedenen Perspektiven ist im Horror- und Actiongenre deutlich häufiger zu finden als in anderen filmischen Gattungen. Doch auch in russischen Revolutionsfilmen der zwanziger Jahre ist mit extremen Auf- und Untersichten gearbeitet worden, um die Arroganz der Macht sowie die Überlegenheit des Proletariats auszudrücken (↗ Assoziationsmontage, S. 64–67). Ein anderes, ebenso aussagekräftiges Beispiel findet sich in der erfolgreichen Verfilmung von Heinrich Manns Roman *Der Untertan* (e. 1911/14; als Film 1951). Der Regisseur Wolfgang Staudte inszenierte den Kontakt zwischen dem Kaiser und seinem Vasallen Diederich Heßling anlässlich des Kaiserbesuchs in Rom

5 a–d »Der Untertan« (DDR 1951, Wolfgang Staudte): Kameraperspektiven –
Vogelperspektive, leichte Untersicht, starke Untersicht, Aufsicht

unter Verwendung genau gewählter Einstellungsgrößen und Perspektiven.

Die Szene von Abbildung 5 beginnt mit einer extremen Vogelperspektive senkrecht nach unten auf die Masse der Untertanen. Wir sehen ausschließlich Hüte. Am oberen Bildrand bahnt sich Diederich Heßling (als einziger neben den italienischen Soldaten mit einem schwarzen Hut) den Weg zur Staatskarosse (Abb. 5 a). Das nächste Bild zeigt die beiden Majestäten in leichter Untersicht. Auch hier sind nur ihre Kopfbedeckungen – Insignien ihrer Macht – zu sehen (Abb. 5 b). Es ist die Perspektive Heßlings, die den deutschen Kaiser in Kopfschmuck und Statur seinem italienischen Amtskollegen gegenüber deutlich erhöht. Das nächste Bild zeigt Heßling, wie er in entfesselter Begeisterung seinen Kaiser hochleben lässt. Die starke Untersicht bindet Heßling symbolhaft zwischen dem Rad der Staatskarosse und der deutschen Nationalflagge (Abb. 5 c). Und im letzten Bild sehen wir in einer Aufsicht, wie sich der Kaiser, im Bild allein durch den Helm repräsentiert, seinem demütigen Untertan zuwendet (Abb. 5 d). Schon diese vier Bilder – die gesamte Szene dauert 48 Sekunden und enthält elf Einstellungen – verdeutlichen, wie durch die Wahl der Perspektiven eine große Aussagekraft erzielt wird. Oben und Unten,

Herrscher- und Untertanenmentalität werden mithilfe der Kamerastand-punkte ausgedrückt. Dabei erhält lediglich Diederich Heßling ein indivi-duelles Antlitz. Alle weiteren Personen bleiben gesichtslos. Die Kamera erzählt von den Autoritätsstrukturen des Systems (Vogelperspektive auf die Masse, Untersicht auf die Majestäten). Zusätzlich unterstreichen hier die unterschiedlichen Kopfbedeckungen als Pars pro toto die entsprechen-den Machtverhältnisse.

Kamerabewegungen

Bereits 1916 hatte Paul Wegener, einer der ersten männlichen Filmstars in Deutschland, in einem Vortrag gefordert: »Der eigentliche Dichter des Films muss die Kamera sein« (zit. nach: Güttinger 1984, S. 348). Und der französische Journalist und Filmtheoretiker Alexandre Astruc bezeich-nete in einem Aufsatz aus dem Jahr 1948 die Kamera als »Federhalter« [la caméra stylo] des Regisseurs (zit. nach: Wuss 1990, S. 333).

Neben Einstellungsgröße und Kameraperspektive ist die Bewegungs-richtung der Kamera ein wichtiges Ausdrucksmittel, das im günstigsten Fall die Funktion einer eigenständigen Erzählfigur im Film übernimmt. Kamerabewegungen sind so alt wie das Kino selbst. Schon die Film-pioniere der ersten Jahre setzten die Kameras auf Droschken, Straßen-bahnen und Züge, um den Bildraum zu erweitern. Versuche, ein ausfah-rendes Schiff mittels Kameraschwenk zu verfolgen, gelangen zunächst nur unvollkommen. Der optische Eindruck war noch gestört von den ruckartigen und verwackelten Bildern. In den zehner und zwanziger Jah-ren des 20. Jahrhunderts wurde die Kamera jedoch immer beweglicher. Der Kameramann Karl Freund befreite sie erstmals vom Stativ. Er schnallte sie sich um den Bauch oder fuhr mit ihr auf dem Fahrrad, um größtmögliche Dynamik zu erzielen. Diese vom Stativ gelöste Kamera wurde ›entfesselte Kamera‹ genannt – ein Begriff, der sich bis heute ge-halten hat.

Der erste Film, in dem diese revolutionäre Kameratechnik verwendet wurde, war Friedrich Wilhelm Murnaus Der letzte Mann (1924). Hier spielt Emil Jannings einen alternden Hotelportier, dessen ganzer Stolz seine Uniform ist. Mit der Degradierung zum Toilettenmann verliert er nicht nur das Selbstbewusstsein, sondern auch den allein auf Stellung und Uniform basierenden Respekt seiner Nachbarschaft. Er wird zum Gespött der Leute. Die innere Qual des Protagonisten, seine Ängste und Alpträume, aber auch Zustände von Trunkenheit visualisiert der Film mit bis dato nie gesehenen Kameraoperationen. Während Regisseure wie Fritz Lang die Bewegung und das Ausspielen der Schauspieler vor der Kamera favorisierten, war für Murnau und seinen Kameramann Karl Freund die Bewegung mit der Kamera wichtigstes ästhetisches Moment des Films.

Mit der technischen Entwicklung (Handkamera, 16-mm-Kamera, Steadicam, Dolly, Kran, Hubschrauber etc.) ist die Beweglichkeit immer weiter perfektioniert worden und die Kameraoperationen wurden ausgeklügelter. Schier endlos anmutende Kamerafahrten oder rasanteste Verfolgungsjagden konnten nun ohne aufwendige Manipulationen realisiert werden. Im letzten Jahrzehnt spielt dabei auch die Computertechnik eine immer größere Rolle. Heutzutage ist nahezu alles möglich. Die Kamera kann scheinbar aus dem Weltraum auf die Erde zu rasen und vor einem Auto zum Stillstand kommen (wie in einer Opel-Werbung von 1996) oder sie kann aus dem Augapfel eines Raumfahrers in die unendliche Weite des Weltalls hinausfliegen (*Star Trek – Der erste Kontakt*, 1996). Kein Schnitt unterbricht diese unglaublichen virtuellen Fahrten, die der Computer möglich macht.

Grundsätzlich lassen sich Kamerabewegungen in zwei Kategorien fassen: *Schwenks* (Schwenken, Rollen, Neigen) und *Fahrten*. Beide Bewegungsgruppen vergrößern den Bildraum, verschaffen Überblick, zeigen Räume und Personen, verfolgen Objekte. Sie leiten den Blick der Zuschauerinnen und Zuschauer, lenken die Aufmerksamkeit und verstärken das Gefühl von Räumlichkeit.

Kameraschwenks

Schwenken und *Neigen* bezeichnen Kamerabewegungen in horizontaler und vertikaler Richtung, bei denen die Kamera jedoch ihren Standpunkt nicht verlässt. Auch beim *Rollen* bleibt der Standpunkt unverändert. Die Kamera kann hier allerdings – auf der imaginären dritten Achse – hin- und hergekippt werden. Diese kippende oder schwankende Bewegung kann beispielsweise den Bewusstseinszustand eines Betrunkenen wiedergeben. Eine 360°-Rollbewegung (auch *Kreiselschwenk* genannt), die eingesetzt wird, um etwa die Position des Fahrers eines sich überschlagenden Wagens darzustellen, wirkt äußerst suggestiv. Sie zieht den Zuschauerinnen und Zuschauern gewissermaßen den Boden unter den Füßen weg. Das Rollen der Kamera ist jedoch eher selten. Schwenk- und Neigebewegungen hingegen gehören zum festen Bestandteil nahezu eines jeden Films. Der Informationscharakter und die Wirkung hängen von der jeweiligen Geschwindigkeit der Bewegung und der Einstellungsgröße der Kamera ab.

Die berühmten *Panoramaschwenks* im Westernfilm tasten die grandiose Weite der Landschaft langsam ab und evozieren Gefühle von Freiheit und Grenzenlosigkeit. Exemplarisch zu nennen wären die Landschaftspanoramen des Monument Valley in den Western von John Ford (*Stagecoach – Höllenfahrt nach Santa Fé*, 1939; *Rio Grande*, 1950). Aber auch in den modernen Nachfolgern des Westerngenres, den so genannten Road Movies (*Paris, Texas*, 1984, oder *Thelma & Louise*, 1991), gehören Panoramaschwenks zum ästhetischen Instrumentarium.

Schwenks in Innenräumen können sowohl der Erfassung aller Informationen dienen (Requisite, Personen in ihrer räumlichen Beziehung) als auch der Bewegungsrichtung von Personen oder Objekten folgen (ein Ball rollt von links nach rechts, die Kamera folgt dieser Bewegung). Man nennt diese Bewegungen entsprechend begleitende oder verfolgende Schwenks. In der Kombination mit Neigebewegungen können kurze Schwenks den Eindruck des Abtastens oder Suchens vermitteln (ein Dieb betritt einen Raum und orientiert sich, wir sehen dies mit ›seinen Augen‹).

Die der Information oder der Orientierung dienenden Schwenks bewegen sich gemeinhin ausschließlich im vor dem Publikum befindlichen Bildraum. Selten überschreiten sie diesen 180°-Bereich (↗ Unsichtbarer Schnitt, S. 73). Ein 360°-Rundumschwenk kann als subjektive Einstellung beispielsweise ein Glücksgefühl signalisieren. Der Protagonist dreht sich um die eigene Achse und wir sehen den Raum mit seinen Augen. Solche Schwenks sind auch aus einem ökonomischen Grund eher selten. Da das Publikum nichts von der Künstlichkeit des Mediums erfahren darf, sich hinter der Kamera aber gewöhnlich die technische Seite befindet (Kabel, Kulisse, Helfer etc.), erfordert ein Rundumschwenk einen eigenen, komplizierten Szenenaufbau.

Schnelle Schwenks rücken nicht den gesamten Raum in den Vordergrund, sondern sie heben einzelne Details oder Personen hervor. Sie entsprechen einem Blickpunktwechsel und wirken häufig überraschend. In der Regel wird diese Art der gezielten Informationssteuerung jedoch mithilfe eines Schnitts gelöst.

Der *Reißschwenk* schließlich imitiert die natürliche Augenreaktion, wobei die Einzelheiten des filmischen Raums nicht mehr wahrnehmbar sind. Orson Welles benutzte dieses Mittel in seiner Adaption von Franz Kafkas Romanfragment *Der Prozeß* (e. 1914/15, gedr. 1925; als Film 1962) für die Titorelli-Episode. K. will nach seinem Besuch beim Advokaten vom Maler Titorelli weitere Auskünfte über seine Gerichtsverhandlung einholen. In einem Bretterverschlag, umlauert von unsichtbaren, lärmenden Kindern, vermitteln die Reißschwenks die innere Unruhe und die Verfolgungsängste der Protagonisten. Treibender Free Jazz liefert dabei die musikalische Entsprechung für die rasanten Kameraschwenks.

Schwenks werden häufiger benutzt als das *Neigen*, weil sie unserer physischen Raumwahrnehmung am nahesten kommen. Bewegungen auf der horizontalen Achse wirken darüber hinaus wesentlich stabiler als der Kamerablick von unten nach oben oder vice versa. Dennoch kann durch die Neigebewegung ein charakterisierender und stimmungserzeugender Effekt erzielt werden. So ist beispielsweise das langsame Neigen – von den Stiefeln über den Patronengürtel bis hinauf zum grimmigen und zu allem entschlossenen Gesicht des Helden – eine konventionalisierte Bewegung im Westerngenre. Sie informiert Zuschauerinnen und Zuschauer, indem die langsame Bewegung die Wahrnehmung jedes Details ermöglicht, und sie erzeugt eine besondere, meist bedrohliche Erwartungshaltung, die in der Regel auf eine baldige Konfrontation hinausläuft. In einer Komödie wirkt dieselbe Bewegung dagegen eher ›deplatziert‹. Dort erzeugt sie allein durch die Kontextualisierung einen komischen Effekt.

Neigebewegungen vermitteln aber auch einen Eindruck von Größenverhältnissen. Häufige Verwendung finden sie beispielsweise in Stanley Kubricks philosophischem Sciencefiction *2001 – Odyssee im Weltraum* (1968). Der Film, der in der prähistorischen Vergangenheit wie in der unmittelbaren Zukunft spielt, benutzt das langsame Neigen von unten (der Perspektive der Protagonisten) nach oben (z. B. auf den außerirdischen Monolithen), um mit der Bewegung sowohl räumliche wie intellektuelle Distanzen auszudrücken: Der Mensch schaut immer aus der unteren Position nach oben, ihm wird damit seine Stellung auf der Entwicklungsstufe zugewiesen.

Zusammenfassend ist zu sagen, dass langsame Kameraschwenks entweder der räumlichen Erfassung oder der Verfolgung von Personen oder Objekten dienen. Hier steht die Informationsvermittlung im Vordergrund. Schnelle Kameraschwenks dagegen verstärken die dramaturgische Funktion einer Szene.

Kamerafahrten

Eine Kamera, die ihren Standort verlässt, beginnt eine Fahrt. Die *Kamerafahrt* durch den inszenierten Filmraum verändert ständig das Perspektivezentrum und kann die Tiefenwirkung eines dreidimensionalen Raums am besten wiedergeben. Eine Szene mit wechselnden Perspektiven, die eine dynamische Kamerafahrt erzeugt, übt eine größere Suggestivkraft aus, als wenn die gleiche Szene geschnitten wäre. Deshalb benutzen viele Regisseure komplexe Kamerafahrten gerade zu Beginn eines Films, wenn die Aufmerksamkeit des Publikums besonders hoch ist (↗ Exposition, S. 111 f.).

Im zeitgenössischen Kinofilm sind zwei Trends deutlich: einerseits die immer höhere Schnittfrequenz (↗ Schnitt im Zeitalter des Videoclips,

S. 89–97), andererseits wird die Kamera immer beweglicher. Dabei spielt es weniger eine Rolle, ob die Szene diese Bewegung inhaltlich motiviert oder nicht, wichtiger erscheint der dynamisierende Effekt im Gesamteindruck. Selbst in kurzen Einstellungen, etwa in einer Dialogszene, bewegt sich die Kamera unaufhörlich.

Im Fernsehen ist diese Ästhetik der nervösen, sich ständig bewegenden (Hand-)Kamera in einigen Polizei- oder Arztserien kultiviert worden, um den Anschein von Authentizität zu suggerieren. Hierzu zählen Polizeiserien wie *New York Cops – NYPD Blue* und *Die Wache* oder Arztserien wie *Emergency Room* und *Chicago Hope – Endstation Hoffnung*. Diese Verbindung von vorgegaukelter dokumentarischer Qualität und unruhigen Bildern war schon in den verwackelten Aufnahmen des Reality-TV Ende der achtziger Jahre zu beobachten.

Auch die Bilder der meisten aktuellen Großproduktionen präsentieren sich in permanenter Bewegung. In der Tat findet man im modernen Unterhaltungskino lange statische Einstellungen kaum mehr.

In Martin Scorseses *Kap der Angst* (1991) übt die sich ständig in langsamen Bewegungen befindliche Kamera einen klaustrophobischen Druck auf den Betrachter aus und rechtfertigt damit ihren Einsatz. Dennoch sind häufig inhaltlich unmotivierte Kamerabewegungen zu konstatieren, die lediglich zur Erzielung höchster Dynamik angewendet werden.

Bei beiden Kamerabewegungen – der hektischen, nervösen und der ruhigeren, verwacklungsfreien – ist die Kamera nicht mehr an einem Stativ befestigt. Der Kameramann kann sich mehr oder weniger frei durch den Filmraum bewegen und auf jede Richtungsänderung von Objekten oder Personen unmittelbar reagieren.

Im ersten Fall wird eine leichte kleine Handkamera eingesetzt, die in den fünfziger Jahren entwickelt wurde. Sie prägte die Kinoästhetik der sechziger Jahre (Nouvelle Vague, New American Cinema, Neuer Deutscher Film). Fließende Kamerabewegungen sind seit den siebziger Jahren mit der *Steadicam* möglich geworden – einem mit Ausgleichsgewichten und besonderen Stabilisatoren versehenem Tragegerüst, das sich der Kameramann umschnallt. Die Steadicam gleicht selbst schnelle Bewegungen und Richtungswechsel aus, sodass ein ruhiges, fließendes Kamerabild entsteht.

Beide Kamerasysteme vereinfachen die Filmproduktion, da auf die Verlegung von Schienen oder die Benutzung teurer Kamerawagen (*Dolly*) verzichtet werden kann – neben der Ausleuchtung einer Szene ist diese Arbeit besonders zeit- und kostenintensiv.

Ähnlich den Schwenk-, Neige- und Rollbewegungen können unterschiedliche Formen von Kamerafahrten unterschiedliche Effekte erzielen. Grundsätzlich kann sich die Kamera auf drei Achsen bewegen: der horizontalen, der vertikalen und der Raumachse.

Bewegungen auf der Raumachse sind Hinfahrten und Rückfahrten (auch Ran- und Wegfahrt). Die *Hinfahrt* – eine langsame Bewegung auf ein Objekt zu – hat einführenden und identifizierenden Charakter. Die deduktive Bewegung von einer Totalen oder Halbtotalen auf eine Groß- oder Detailaufnahme liefert wichtige Informationen über die Raumkonstellation, verengt den filmischen Raum und lenkt unseren Blick auf das bedeutendste Detail. Das kann eine Person sein, mit der sich die Zuschauerinnen und Zuschauer identifizieren sollen, aber auch jemand, von dem Gefahr ausgeht. Es kann genauso ein entscheidendes Objekt sein (z. B. eine Mordwaffe).

Eine wichtige Frage bei der Analyse der Kamerabewegung betrifft immer die intendierte Perspektive. Handelt es sich um eine Bewegung ausschließlich zur Information des Publikums oder repräsentiert die Kamerafahrt eine subjektive Sicht oder die innere Befindlichkeit eines der Protagonisten?

Das Gegenstück zu einer Hinfahrt ist die *Rückfahrt*. Die Kamera bewegt sich von einer Person oder einem Objekt weg und distanziert uns damit vom Geschehen. Mimik oder Gestik treten in den Hintergrund, der filmische Raum wird geöffnet und das Umfeld einbezogen. Entfernt sich die Kamera von einer Person, ist wichtig, was während der Rückwärtsbewegung ins Blickfeld gerät. Eine Bewegung, die eine Person bei Feierlichkeiten im Kreis von Freunden zeigt, kann beispielsweise Geborgenheit signalisieren. Eine Bewegung, die eine Figur in einer menschenleeren Szenerie zeigt, lässt eher das Gefühl der Isolation und Verlassenheit aufkommen.

Bewegungen auf der horizontalen Achse werden *Parallelfahrten* genannt. Entweder sie begleiten sich bewegende Personen oder Objekte, die dabei immer im Bildmittelpunkt bleiben, oder sie fahren eine Szenerie ab, ohne bestimmte Personen oder Objekte zu fokussieren (z. B. Stadtansichten). Parallelfahrten machen die Größe des Raums und die potenzielle Unbegrenztheit des filmischen Bildes bewusst.

Auf der vertikalen Achse können Fahrten mit einem Kamerakran realisiert werden. Ähnlich der Parallelfahrt kann die *Kranfahrt* Personen begleiten oder verfolgen (ein Dieb klettert die Außenwand eines Hauses hoch) oder neue Bildräume erschließen (eine Kranfahrt endet über dem Dach eines Hauses und zeigt in der Totalen die hintere Umgebung). Wie der Rollschwenk entzieht auch eine Fahrt nach oben den Zuschauenden den Boden und erzeugt einen ›Fahrstuhleffekt‹, der irritierende oder unangenehme Gefühle evozieren kann.

Hubschrauber-Kamerafahrten sind die logischen Fortsetzungen der

›entfesselten Kamera‹. Sie lösen den festen Standort endgültig auf, schweben über dem Bildraum. Sie können sowohl Freiheitsgefühle, aber auch, bei schnellen Hubschrauberfahrten, unangenehme ›Achterbahneffekte‹ erzeugen. *roller coast*

Selbstverständlich kann eine Kamerafahrt auch auf sämtlichen Achsen stattfinden. Ob sie in der Aufsicht eine brennende Lunte quer durch den Raum verfolgt, vertikal eine Treppe hinunterfährt und anschließend in einer Wegfahrt das gefährdete Haus verlässt, ist lediglich eine Frage des gewünschten technischen und logistischen Aufwands. In der Regel beinhalten längere Kamerafahrten eine Kombination mehrerer Operationen. So wird eine suchende Kamerabewegung durch den Raum neben einer Fahrt immer auch Schwenks und Neigungen verwenden. Und gerade angesichts der modernen Computertechnologie sind der Beweglichkeit keine Grenzen mehr gesetzt.

Eine häufig benutzte Kombination von Fahrt und Schwenk im tiefendimensionalen Raum ist die *Kreis-* oder *Umfahrt*. Eine Kamera, die beispielsweise um eine Gruppe von Personen herumfährt, tastet sie ab, umlauert und belauscht sie oder aber sie entdeckt und klärt auf.

Eine solche Kurvenbewegung kann zum Beispiel von der besonderen Solidarität, von dem Zusammenhalt der Gruppe erzählen. In jedem Fall vermittelt die Umfahrt eine große Raumillusion und setzt Objekte und Personen in physische und psychische Beziehung zueinander.

Rainer Werner Fassbinder gilt als der Regisseur, für den Kreis- und Umfahrten ein wichtiges ästhetisches Ausdrucksmittel für persönliche Beziehungen waren. Sein Kameramann Michael Ballhaus, mit dem er in den siebziger Jahren diese Bewegungen perfektionierte, arbeitet seit längerem in Hollywood. Fast in jedem Film, in dem Ballhaus die Kamera führt, findet mindestens eine komplexe Kreis- oder Umfahrt statt. Aber auch in den schon genannten Fernsehserien mit Authentizitätssuggestion sowie in vielen Musik- und Werbeclips werden schnelle Personenumfahrten häufig eingesetzt.

Insgesamt gilt für das Tempo von Kamerafahrten das Gleiche wie für die Schwenks. Langsame Fahrten informieren, identifizieren und charakterisieren. Sie können eine ruhige Atmosphäre schaffen. Rasante Fahrten hingegen dynamisieren die Erzählung, verweigern den analytischen Blick, erzeugen Spannung, können irritieren und verunsichern.

Zoom

Ein *Zoom* imitiert eine Hin- oder Rückfahrt, ohne dass sich die Kamera tatsächlich bewegt. Allein durch Veränderung der Brennweite des Objektivs können unterschiedliche Einstellungsgrößen erzeugt werden. Im

Unterschied zur Fahrt verzeichnet der Zoom die tatsächlichen Größenverhältnisse im dreidimensionalen Raum. Eine Kamera, die auf ein Objekt zufährt, das sich in sichtbarem Abstand von einer Wand befindet,
wird diese räumliche Distanz auch bei der Annäherung deutlich zeigen.
Zoomt die Kamera jedoch auf das Objekt zu, so verengt sich der Zwi-
schenraum vom Objekt zur Wand dergestalt, dass bei großer Brennweite
der Eindruck erweckt wird, als befinde es sich direkt vor der Wand.

Vor allem in den siebziger Jahren wurde der Zoom als Ersatz für eine
Kamerafahrt häufig verwendet. Das hatte in erster Linie ökonomische
Gründe, war doch ein Zoomobjektiv wesentlich preiswerter als das Verle-
gen von Schienen, auf denen die Kamera bewegt werden kann. Aber die
exzessiv eingesetzten Zooms, beispielsweise im Italowestern, und der un-
wirkliche visuelle Eindruck stießen bald auf Kritik. Der Zoom gilt als zu
aufdringlich, billig und nicht ›künstlerisch‹. Und so schnell, wie er in
Mode kam, so schnell verschwand er auch wieder aus der Spielfilmästhe-
tik. Heute wird er nur noch dann eingesetzt, wenn es erzählerisch motiviert ist. So kann beispielsweise ein schneller Zoom von der Totalen auf
ein Detail die Aufmerksamkeit sehr effektiv leiten und den Blick auf ein
wichtiges Objekt verengen. Als ein übliches stilistisches Mittel findet
man den Zoom nur noch bei Dokumentationen und vor allem in der aktuellen Fernsehberichterstattung.

Beleuchtung

In den ersten Jahren des Films waren die Kameraleute auf Sonnenlicht
angewiesen, um ihre dokumentarischen Aufnahmen von Natur, Städten
und Menschen zu realisieren. Das grobe Filmmaterial wurde erst bei hellem Sonnenschein ausreichend belichtet. Auch verfügten die Kameras
noch nicht über verstellbare Blenden.

Anfang des 20. Jahrhunderts entstanden die ersten Filmstudios. Zwar
waren einige mit großen Glasfassaden oder beweglichen Dächern ausge-
stattet, um jedes Sonnenlicht zu nutzen. Aber aufgrund des Drucks, möglichst schnell und viel zu produzieren, benötigte man Kunstlicht. (Ein
entscheidender Grund, warum das amerikanische Filmzentrum 1910 in
der Nähe von Los Angeles gegründet wurde, war die sonnenintensivere
Westküste – die eigentlichen Anfänge des amerikanischen Films lagen an
der Ostküste.)

Die wenigen vorliegenden Berichte über die Studioarbeiten in der
Frühphase des Kinos zeugen von den kaum zumutbaren Bedingungen bei
Dreharbeiten unter künstlichem Licht. Die riesigen Scheinwerfer ver-

wandelten die Hallen in Treibhäuser. Das wegen des unempfindlichen Filmmaterials übermäßig stark aufgetragene Make-up verflüssigte sich unter diesen Temperaturen und lief den Schauspielern in die Augen. Nach dem Ersten Weltkrieg wurden die Aufnahmemöglichkeiten (Filmmaterial, Kameratechnik) so weit verbessert, dass Licht zunehmend dramaturgisch eingesetzt werden konnte. Statt den filmischen Raum in gleißendes Scheinwerferlicht zu tauchen, wurde immer mehr darauf geachtet, Licht- und Schattenpartien zu modulieren. Dabei orientierte man sich an der Malerei und dem Theater. Begriffe wie ›Rembrandt-Licht‹, ›Chiaroscuro-Beleuchtung‹ oder ›expressionistische Lichtgestaltung‹ werden bis heute zur Bezeichnung der entsprechenden Beleuchtungsdramaturgie benutzt.

Von dem berühmten Klassiker des so genannten expressionistischen Films *Das Cabinet des Dr. Caligari* (1919) wird häufig behauptet, die Filmcrew habe aus Mangel an Scheinwerfern die Schatten einfach aufgemalt. Tatsächlich ist bei diesem Film mit einer ausgeklügelten Lichtsetzung gearbeitet worden. Die aufgemalten Schatten dienen lediglich als Mittel, den Eindruck einer irrealen Welt zu verstärken, die nur in der Phantasie eines Verrückten existiert. Das Expressionistische an diesem Film ist weniger in der Handlung zu suchen, die an den Stoffvorlagen der phantastischen Erzählungen eines E. T. A. Hoffmann oder Edgar Allen Poe orientiert ist, als vielmehr in der Architektur und in der Lichtgestaltung.

Die kurze Ära des expressionistischen Films verhalf der deutschen Filmproduktion zu Weltgeltung und beeinflusste darüber hinaus die Lichtgestaltung der internationalen Filmproduktion. Lotte H. Eisner, Kunsthistorikerin sowie Film- und Theaterkritikerin in der Weimarer Republik, macht die Beleuchtung für den nachhaltigen Erfolg der klassischen deutschen Stummfilme verantwortlich. In ihrem Buch *Die dämonische Leinwand* (1980) spricht sie vom berühmten ›Helldunkel‹ und zieht Vergleiche zur Tradition der Helldunkelmalerei eines da Vinci oder eines Caravaggio. Sie interpretiert damit aber auch die Inhalte der Filme in der Nachfolge von *Das Cabinet des Dr. Caligari*. Von den Gruselfilmen (*Nosferatu; Alraune*, 1928) bis zu den sozialkritischen Straßenfilmen (*Die freudlose Gasse*, 1925; *Dirnentragödie*, 1927), von den Sagen- und Sciencefiction-Welten (*Nibelungen*, 1924; *Metropolis*, 1927) bis hin zu den ambitionierten Literaturverfilmungen (*Die Weber*, 1927; *Die Büchse der Pandora*, 1929) manifestiere sich – so Eisner – ein Panoptikum finsterer Drohungen, das in der Lichtgestaltung kongenialen Ausdruck finde.

Die untrennbare Einheit von Licht und Schatten hat dazu geführt, dass heutige Film- und Fernsehstudios über ein riesiges Sortiment an Scheinwerfern verfügen. Die Möglichkeiten reichen von dem kleinen, direkt vor dem Gesicht eines Schauspielers postierten Licht, um dessen Augen ›zum Leuchten‹ zu bringen, bis hin zu den 20-Kilowatt-Scheinwerfern, die die Nacht zum Tag machen. Selbst bei Sonnenschein wird während der Außenaufnahmen Kunstlicht eingesetzt, um ungewollte Reflexionen oder Lichtstreuungen zu vermeiden. Mit einer Lichtsetzung lassen sich räumliche Tiefeneindrücke und Plastizität vermitteln, ohne dass die Kamera durch den Raum bewegt werden muss. Will man den gesamten Raum darstellen, müssen Vorder-, Mittel- und Hintergrund ganz oder partiell durch Licht betont werden. Gilt es, bestimmte Teile eines Raumes hervorzuheben, werden andere abgedunkelt.

In *Citizen Kane* (1941) versucht ein Journalist, das Leben des Medien-Tycoons Charles Foster Kane zu rekonstruieren. Hierzu bittet er im Archiv des Medienkonzerns um Akteneinsicht. Der Archivraum besitzt große Ausmaße. Dennoch beleuchtet lediglich ein einziger harter Spot, der schräg von oben auf den riesigen Tisch gerichtet ist und das durch ein Dachfenster einfallende Sonnenlicht nachahmt, die Szenerie (Abb. 6). Dieser Scheinwerfer reicht aus, um die Größenverhältnisse darzustellen. Gleichzeitig dient die Lichtgestaltung als Kommentar: Die Vergangenheit Kanes liegt in einem geheimnisvollen Dunkel, sie wird im Verlaufe

6 »Citizen Kane« (USA 1941, Orson Welles): Lichtgestaltung – partielle Betonung des Raumes durch den Low-Key-Stil

7 »Misery« (USA 1990, Rob Reiner): Lichtgestaltung –
die gespaltene Persönlichkeit spiegelt sich im Halbdunkel
des Gesichts (Low-Key-Stil).

des Films zwar Stück für Stück rekonstruiert, doch handelt es sich dabei
immer nur um Einzelaspekte seines Lebens, sodass der Journalist am
Ende seiner Recherchen nicht viel weiter gekommen ist.

Licht leitet Aufmerksamkeit auf bestimmte Objekte oder Personen. In
Hitchcocks *Verdacht* (1941) bringt ein Ehemann seiner kranken Frau ein
Glas Milch ins Schlafzimmer. Da die Frau (und mit ihr das Publikum) davon überzeugt ist, dass ihr Mann sie vergiften will, musste die Szene in
ein entsprechendes Licht getaucht werden. Hitchcock filmte den Mann,
wie er mit dem Glas in der Hand die Treppe hinauf zum Schlafzimmer
geht. Die Schatten des Treppengitters sind übergroß auf der rückwärtigen
Wand zu sehen. Darüber hinaus befestigten die Beleuchter eine batterie-
betriebene Glühlampe auf dem Boden des Glases, was in der Kombination
mit den Schlagschatten den Mordverdacht effektvoll verstärkte, denn die
Blicke der Zuschauerinnen und Zuschauer werden nun wie magisch auf
das leuchtende Milchglas gelenkt.

Licht moduliert, strukturiert und charakterisiert Objekte und Personen. Je nachdem, wie sie ihre Schatten werfen, erzeugen sie unterschiedliche Stimmungen. Ein einfacher Holzstock, normal beleuchtet, bleibt ein
einfacher Holzstock. Wirft er aber einen langen Schatten, so entsteht der
bedrohliche Eindruck, er könne als Waffe dienen.

Für die Großaufnahme eines weiblichen Stars wird zur Betonung der
femininen Linien das Licht so gesetzt, dass keine Unebenheiten im Gesicht zu erkennen sind. Dazu verwendet man Weichstrahler, die ein diffuses, weiches Licht ohne Schattengrenzen erzeugen. Hartes, gerichtetes

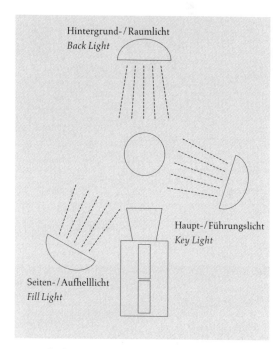

Hintergrund-/Raumlicht
Back Light

Haupt-/Führungslicht
Key Light

Seiten-/Aufhelllicht
Fill Light

8 Standardbeleuchtung

Licht dagegen bewirkt eine stärkere Betonung der Schattierungen und Unebenheiten. Es wird gerne zur Charakterisierung männlicher Helden benutzt. Gesichter, die ins Halbdunkel getaucht werden, können auch etwas über die inneren Befindlichkeiten der Personen aussagen. In der Verfilmung von Stephen Kings *Misery* (1987; als Film 1990) wird das Gesicht der Krankenschwester zur Hälfte ins Dunkel getaucht, um ihre Persönlichkeitsspaltung auszudrücken (Abb. 7).

Standardbeleuchtung

Zuständig für die Lichtsetzung am Drehort (*Set*) ist der Chef- oder Oberbeleuchter (*Gaffer*) mit seiner Crew. Er positioniert die Scheinwerfer in enger Abstimmung mit dem Kameramann. Der Standard (Abb. 8) umfasst mindestens drei Beleuchtungsquellen: *Haupt-* oder *Führungslicht* (*Key Light*), *Seiten-* oder *Aufhelllicht* (*Fill Light*) und *Hintergrund-* oder *Raumlicht* (*Back Light*). Während das leistungsstärkste Hauptlicht die gesamte Szenerie prägt, reduziert das in der Nähe der Kamera aufge-

33

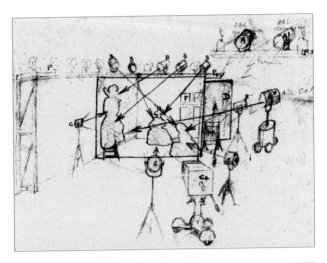

9 a, b »Die Schöne und das Biest« (F 1945, Jean Cocteau): Komplexe Beleuchtungen werden vorher genau skizziert – Versuch der filmischen Nachahmung eines ›Rembrandt-Lichts‹.

stellte Seitenlicht die durch das Hauptlicht entstehenden Objektschatten. Das Hintergrundlicht trennt Personen und Objekte vom Hintergrund und erzeugt somit einen besseren räumlichen Eindruck.

Daneben gibt es eine Fülle von verschiedenen zusätzlichen Lichtquellen und -effekten, die zur Gesamtatmosphäre eines bestimmten Filmbildes beitragen, sodass an einem Spielfilmset gemeinhin wesentlich mehr als die drei Standardscheinwerfer eingesetzt werden. Zur Aufgabe des Oberbeleuchters gehört es auch, bei komplexer Ausleuchtung eine Beleuchtungsskizze anzufertigen. Das Beispiel aus *Die Schöne und das Biest* (1945) zeigt die differenzierte Ausleuchtung einer Innenszene anhand der Beleuchtungsskizze (Abb. 9a) und des entsprechenden Filmbilds (Abb. 9b). Im Übrigen muss jede Einstellung neu eingeleuchtet werden, was die Dreharbeiten häufig langwierig und kostenintensiv macht.

Beleuchtungsstile

In Anlehnung an die Schwarzweißfotografie unterscheidet man grundsätzlich zwischen drei Stilen der Lichtgestaltung: Normalstil, Low-Key-Stil und High-Key-Stil.

Im *Normalstil* wird das natürlich vorhandene Licht betont. Es imitiert die natürlichen Sehgewohnheiten und sorgt für eine ausgewogene Hell-Dunkel-Verteilung. Bäume werfen also beispielsweise ihre ›natürlichen‹ Schatten. Ziel ist, eine möglichst realistische beziehungsweise naturalistische Atmosphäre zu schaffen. Dieser Beleuchtungsstil wird innerhalb der Film- und Fernsehproduktionen am häufigsten eingesetzt.

Im Unterschied zum Normalstil wird beim *Low-Key-Stil* die Schattenführung einer Szene betont. Das Hauptlicht ist hier sehr schwach, sodass die seitlich postierten Aufhelllichter dominieren. Dadurch werden Personen, Objekte und Schauplätze ungleichmäßig beleuchtet. Dieser Beleuchtungsstil wird in den meisten Horror-, Sciencefiction-, Action- und Kriminalfilmen benutzt, um Spannung zu erzeugen. Die Bedrohung lauert buchstäblich im Dunkeln.

Unvergessen ist die Lichtgestaltung in dem schon erwähnten Film *Nosferatu*. In der Schlusssequenz macht sich der Vampir auf den Weg zu seinem (letzten) Opfer. Gezeigt wird nur sein Schatten. Wenn Nosferatu die Treppe hinaufsteigt, lässt ein Unterlicht den Schatten des Vampirs an der Wand langsam anwachsen (Abb. 10).

Die Wirkung des ›erzählenden‹ Schattens war enorm, das Publikum der frühen zwanziger Jahre schockiert. Und auch drei Generationen später übt das Spiel mit dem Schatten immer noch seine suggestive Wirkung aus. Interessanterweise zitierte Francis Ford Coppola in *Bram Stokers Dracula* (1992) eben jenen erzählenden Schatten. Der Graf unterschreibt auf seinem transsilvanischen Schloss den Vertrag über Grundstückskäufe in London, während gleichzeitig sein Schatten auf der an der rückwärtigen Wand angebrachten Landkarte Londons die Inbesitznahme gestisch darstellt.

Carol Reed inszenierte in *Der dritte Mann* (1949) die berühmte Verfol-

10 »Nosferatu« (D 1921, F. W. Murnau): Die Schattenführung verstärkt das Bedrohliche des Vampirs.

gungsjagd in der Wiener Kanalisation fast ausschließlich mithilfe einer
expressiven Licht- und Schattendramaturgie.

Zahlreiche amerikanische Kriminalfilme der vierziger und fünfziger
Jahre benutzten den Low Key als zentrales Gestaltungsmittel und kre-
ierten damit ein eigenes Subgenre – den *Film noir* [Schwarze Serie]. Hart-
gesottene Detektive aus der Feder von Schriftstellern wie Dashiel Hammett (*Der Malteser Falke*, 1930; als Film 1941) oder Raymond Chandler
(*Tote schlafen fest*, 1939; als Film 1946) ermitteln in den von Korruption
und Verrat beherrschten amerikanischen Großstädten. Die pessimis-
tischen Geschichten spielen meist nachts. Spielen sie am Tage, herrscht
oft regnerisches Wetter, und die Innenräume sind in Halbdunkel getaucht.

Der Beleuchtungsstil des Film noir erinnert nicht von ungefähr an das
Helldunkel des klassischen deutschen Stummfilms. Viele emigrierte Regisseure (Robert Siodmak, Fritz Lang, Billy Wilder, William Dieterle)
brachten ihr Wissen und ihr kreatives Potential in das zunächst verkannte
Genre des Kriminalfilms ein und beeinflussten den Film noir mit ihrer
spezifischen Lichtgestaltung nachhaltig.

Im Gegensatz zum Low Key dominieren beim *High-Key-Stil* helle
Tonwerte. Haupt-, Führungs- und Hintergrundscheinwerfer leuchten die
Szenerie gleichmäßig und sogar übermäßig aus. Keine Schattenpartien
sind sichtbar, alles ist in ein helles, weiches, bisweilen auch diffuses Licht
getaucht. High Key erzeugt eine optimistische Grundstimmung. Wie der
Low Key für den Film noir so diente der High Key als bestimmendes Stilmittel für die amerikanischen Großproduktionen, insbesondere für die

11 »2001 – Odyssee im Weltraum« (GB 1968, Stanley
Kubrick): High Key als verfremdendes Stilmittel

Beziehungskomödien der dreißiger und vierziger Jahre, den so genannten
Screwball Comedies.

In *Die Nacht vor der Hochzeit* (1940) beispielsweise agieren die Protagonisten in hell ausgeleuchteten Innenräumen oder vor frühlingshaften
Landschaftskulissen. Zusätzlich verstärkt wird diese positiv-leichte Stimmung durch helle Kleidung und helles Interieur.

Eher unbeabsichtigt findet High Key Anwendung in zahlreichen Serien.
Gerade in Soap Operas wie *Gute Zeiten, schlechte Zeiten* oder *Lindenstraße* wirken viele Szenen übermäßig hell ausgeleuchtet. Das liegt vor
allem an der Ökonomie der Produktion. Es ist nämlich viel einfacher, einen
Set gleichmäßig zu beleuchten, als mithilfe einer komplexen Lichtdramaturgie Schattenpartien herauszuarbeiten. Insofern werden die schnell
produzierten Endlosserien mit ›vollem Licht‹ inszeniert. Hin und wieder
weisen viele kleine Schatten, die ein Objekt oder eine Person in unter-
schiedlichste Richtungen wirft, auf diese Beleuchtungsart hin. Hinzu
kommt, dass diese Serien in der Regel magnetisch aufgezeichnet werden
– also auf (professionellem) Videoband –, während man Spielfilme und
andere Serien (*Raumschiff Enterprise, Akte X, Emergency Room* u.a.)
auf 35-mm-Filmmaterial dreht, das einen größeren Kontrastbereich und
deshalb eine andere Lichtdramaturgie ermöglicht.

High Key kann aber auch als bewusstes Stilmittel zur Verfremdung
eingesetzt werden. In Filmen von Stanley Kubrick (*2001 – Odyssee im
Weltraum; Uhrwerk Orange,* 1971) verstärkt eine grelle Ausleuchtung
das beklemmende Empfinden einer hermetisch geschlossenen, antisepti-
schen und gefühlskalten Welt (Abb. 11).

Wenn man über die Beleuchtung spricht, haben sich die drei Stile als
hilfreiche Orientierungsgröße erwiesen. Aber eine mit Low Key ausge-
leuchtete Szene muss nicht unbedingt düster und dämonisch wirken (z. B.

die gemütliche Kneipe), und umgekehrt erzeugt eine High-Key-Szene nicht grundsätzlich positive Stimmung, wie die Kubrick-Beispiele zeigen.

Farbe

Gemeinhin wird die Farbe mit der Tonfilmära assoziiert. Tatsächlich gibt es sie seit Beginn der Filmgeschichte. Der erste Farbfilm hieß *Annabell's Butterfly Dance*. Er wurde 1895 gedreht, war nur wenige Sekunden lang und lief im Kinetoskop, einem Guckkastenkino der Firma Thomas A. Edisons. Im Unterschied zum Farbdruck oder zum heute gebräuchlichen Umkehrverfahren wurde mit *Kolorierung* gearbeitet. Die ersten Filme sind per Hand koloriert worden, das heißt, die Aquarellfarbe wurde einzeln – Bild für Bild – aufgetragen. Bei einem einminütigen Streifen waren das immerhin schon 1 000 Einzelbilder! Dabei wurden die Filme in der Regel partiell gefärbt. Vollständig kolorierte Filme waren eher selten. Die Attraktion des farbigen Films war so groß, dass bereits 1897 erste Kolorierateliers entstanden, in denen bis zu 400 Angestellte – meist weibliche Arbeitskräfte – tätig waren. Um das mühselige Handkolorieren zu effektivieren, benutzte man seit der Jahrhundertwende die Schablonenkolorierung. Von einem Duplikat des Filmpositivs wurden die zu kolorierenden Stellen herausgeschnitten und als Schablone für die anderen Kopien benutzt. Mithilfe von Bürsten und speziellen Koloriermaschinen konnten so wesentlich kürzere Bearbeitungszeiten erzielt werden.

Obwohl während der gesamten Stummfilmzeit Filme koloriert wurden, hatte sich für das Gros der Produktionen seit den zehner Jahren des 20. Jahrhunderts die Technik der *Viragierung* durchgesetzt. Bei der Viragierung wurden ganze Filmsequenzen monochrom eingefärbt. Szenen, die abends oder nachts spielten, wurden blau eingefärbt. Für Innenräume benutzte man braune und sepiafarbene Töne. Besonders dramatische oder erotisch aufgeladene Sequenzen konnten mit der Signalfarbe Rot viragiert werden.

In den zwanziger Jahren hatte sich ein Farbkodex etabliert, der internationale Gültigkeit besaß und vom Publikum weltweit verstanden wurde. Viragierte Stummfilme waren die Regel, Schwarzweißfilme die Ausnahme! War ein Film schwarzweiß, geschah es häufig aus künstlerischen Erwägungen. Die so genannten deutschen Straßenfilme (*Scherben*, 1921; *Asphalt*, 1929) beispielsweise nutzten hartes, kontrastreiches Schwarzweißmaterial, um Licht und Schatten deutlicher zu akzentuieren und einen besonders realistischen Effekt zu erzeugen. Eisensteins *Panzerkreuzer Potemkin* (1925) war schwarzweiß und setzte am Ende, wenn die siegreichen Matrosen eine rote (handkolorierte) Flagge hissen, das entsprechende ideologische Farbsignal. In dem Zweiteiler *Iwan der Schreckliche* (1946) hat Eisenstein später eine ganze Szene rot viragiert.

Unser Bild vom Stummfilm als eine schwarzweiße Epoche existiert nur deshalb, weil viragiertes und koloriertes Filmmaterial sehr kurzlebig ist. Es wird schnell hart und brüchig, sodass durch die schwarzweißen Kopien, die häufig nur in kleinen Dorfkinos zum Einsatz kamen, das Stummfilmerbe bewahrt wurde. Erst seit den letzten Jahren, in denen der Stummfilm eine Renaissance erlebt, bemühen sich Restaurateure, die erhaltenen Filme wieder in ihren ursprünglichen – farbigen – Zustand zu bringen.

In den zwanziger Jahren dann wurde weltweit mit naturalistischer Farbwiedergabe experimentiert. *Ben Hur* und *Das Phantom der Oper* (beide 1925) hatten schon farbige Szenen. Der Farbfilm, so wie wir ihn kennen, begann erst Mitte der vierziger Jahre seinen Siegeszug.

Zunächst wurde noch im aufwendigen Dreifarbendruck-Verfahren (Technicolor) gedreht, das zwar brillante Farben zeitigte, aber eine riesige Kamera benötigte, durch die drei Filmstreifen in den Grundfarben liefen. Einer der bekanntesten Technicolorfilme ist *Vom Winde verweht* (1939). Heute werden alle Filme im wesentlich preiswerteren Umkehrverfahren (Positiv–Negativ) gedreht.

Wie zur Stummfilmzeit sind Schwarzweißfilme heutzutage die Ausnahme und werden ebenfalls vornehmlich unter künstlerischen Gesichtspunkten eingesetzt. Aber auch die Farbe eines Films kann über die rein naturalistische Wiedergabe hinaus als dramaturgisches Element verwendet werden. Farben dienen zur Stimmungserzeugung und -verstärkung. Die Musicals von Vincente Minnelli liefern hierfür beredte Beispiele. *Ziegfeld Follies* (1944), *Ein Amerikaner in Paris* (1951) oder *Gigi* (1958) bestechen durch den Wechsel von Pastellfarben mit greller Farbgebung. Das korrespondiert mit der Grundstimmung der Szenerie und der Musik. Ein zeitgenössisches Beispiel ist *Der mit dem Wolf tanzt* (1990): der Held (aus der Untersicht) vor der Kulisse eines rot-violetten Sonnenuntergangs, nachdem er sich mit den Indianern verbrüdert hat. Unterlegt mit stimmungsvoller, epischer Musik evozieren die Farben Ungebundenheit und Freiheit. Gleichzeitig kündigen sie aber auch schon die drohende Gefahr der Verfolgung an.

Psychische und physische Grundstimmungen können durch Farbgebung symbolisiert werden. Luchino Viscontis Farbfilme sind genaue Kompositionen, in denen jede Farbe einen Zustand repräsentiert. Seit *Senso* (1954), der wegen seiner spezifischen Ästhetik als erster ›moderner‹ Farbfilm gefeiert wurde, vermitteln sich Aussageintention und Leitmotive im Werk Viscontis über Licht- und Farbgestaltung. In *Tod in Venedig* (1970) dominieren die Farben Weiß (Unschuld), Rot (unerfülltes Verlangen, Eros) und Schwarz (Künstlerkrise, Tod); sie korrespondieren exakt mit den zentralen Motiven von Thomas Manns Novelle. Milos Forman stellt in *Amadeus* (1984) die physische und psychische Veränderung Mozarts durch das farbliche Dekor dar. Während Mozarts steile Karriere durch bunte Pastellfarben signalisiert wird, verwendet der Regisseur von der einsetzenden Krankheit des Komponisten an vornehmlich das dunkle Farbspektrum (braun bis grau).

Farbe kann aber auch zur Erzielung von Verfremdungseffekten eingesetzt werden. Einen gewagten Farbeinsatz unternahm Alfred Hitchcock, indem er in *Vertigo – Aus dem Reich der Toten* (1958) das Thema Nekrophilie darzustellen versuchte.

Detektiv Ferguson, der den vermeintlichen Selbstmord seiner Geliebten nicht verkraften kann, verliebt sich in Judy, die ihr bis auf Haare und Kleidung ähnelt. Er drängt sie, ihre Haarfarbe zu verändern und sich so zu kleiden wie die Vorgängerin, was Judy widerwillig akzeptiert. Als Ferguson sie erblickt, glänzen seine Augen. Die gesamte Szenerie ist in ein unnatürliches Grün getaucht. Wenn Judy aus dem schemenhaft diffus beleuchteten Hintergrund auf Ferguson zugeht, soll beim Publikum der Eindruck erweckt werden, »als käme sie aus der Totenwelt« (Hitchcock; zit. nach: Truffaut 1973, S. 239). Das Wohnzimmer wird zum Mausoleum. Allein durch die Verwendung eines kalten, befremdlich wirkenden Grüntons gelingt es dem Regisseur, eine Liebesszene in ihr Gegenteil zu verkehren. Nekrophilie, als direkt angesprochenes Thema in einem Hollywoodfilm der fünfziger Jahre unvorstellbar, wird so über die farbdramaturgische Ebene vermittelt.

Einen stark akzentuierten und ungemein vielschichtigen Einsatz der Farbe exerziert der englische Maler und Regisseur Peter Greenaway in dem Film *Der Koch, der Dieb, seine Frau und ihr Liebhaber* (1989) – einer Liebes- und Rachegeschichte im Milieu von Schutzgelderpressern, deren Hauptschauplatz ein Luxusrestaurant ist. Nachtblau ist der Parkplatz vor dem Restaurant »Le Hollandais«, grün die Küche, rot der Speisesaal und weiß die Toilette. Die Kleidung der Protagonisten nimmt beim Betreten eines Raums entsprechend eine andere Farbe an. Der strenge Farbkodex und die spezifische Raumorganisation geben dem Film mehrdimensionale Bedeutung. Die Ausstattung zitiert die holländisch-belgische Porträt- und Genremalerei des 17. Jahrhunderts, auf die schon der Name des Restaurants verweist. Im Speisesaal hängt ein Gemälde von Frans Hals, dessen porträtierte Offiziere zugleich ein ironischer Verweis auf die tafelnden Schutzgelderpresser ist. Die Farbgebung in den einzelnen Räumen drückt Grundstimmungen oder innere Befindlichkeiten aus: die grüne Küche als Ort des Lebens und der Hoffnung, der rote Speisesaal als Ort brutaler Auseinandersetzungen und erotischer Verwicklungen. Greenaway nutzt das abendländische Spektrum der Farbsymbolik, um dem Film über die erzählte Geschichte hinaus verschiedene Deutungsebenen zuzuweisen, die im intellektuellen Spiel des Dechiffrierens immer neue Aspekte hervorbringen können.

Grundsätzlich konstituiert jeder Film ein eigenes Farbsystem. Dabei erschließt erst der Gesamtzusammenhang, ob die Farbdramaturgie psychologisch (kalt, warm), liturgisch-religiös (z. B. Rot, Blau, Grün als Farben der christlich-abendländischen Trinität) oder volkstümlich (z. B. Grün = Hoffnung, Gelb = Neid) eingesetzt ist.

Doch nicht nur die räumliche Farbgebung einer Szene kann bedeutungstragend sein. Auch über die Farbe der Kleidung und der Requisiten lassen sich Charakterisierungen erschließen. Die klassischen Hell-Dunkel-/Weiß-Schwarz-Zuweisungen für ›die Guten‹ und ›die Bösen‹ sind beliebte Topoi in Western. Frauen, ganz in Weiß gekleidet, symbolisieren darüber hinaus Unschuld und Reinheit. In dem Film *Edward mit den Scherenhänden* (1990), der von den Schwierigkeiten eines Außenseiters in einer typisch amerikanischen Mittelschichtgesellschaft handelt, wird das oberflächliche und fremdbestimmte Leben innerhalb einer Wohnsiedlung dadurch ausgedrückt, dass Wohnhäuser und Autos in aufeinander abgestimmten Pastellfarben gestrichen sind. Dieser farbliche ›Bonbon-Effekt‹ der Gegenstände korrespondiert mit der inneren und äußeren Oberfläche einer ›heilen Welt‹, die durch den Fremden angekratzt und in ihren Grundfesten erschüttert wird.

Ton

Unser Verständnis von den Bildern eines Films wird stark von den Tönen beeinflusst, die sie begleiten. Wie bei den optischen Elementen des Films muss auch bei den akustischen immer davon ausgegangen werden, dass sie Ergebnis eines Prozesses bewusster Gestaltung sind. Der Anteil, den die Tonspur auf das Rezeptionserlebnis hat, wird leicht unterschätzt. Dabei kann uns das Hörerlebnis eines Films schon stark in eine bestimmte Richtung lenken und zu einem bestimmten Verständnis des Geschehens auf der Leinwand veranlassen.

Stellenweise arbeiten bis zu 150 Menschen am *Sound-Design* eines Films. Die Komponisten Hollywoods zählen neben den Regisseuren und den Schauspielern zu den bestbezahlten des Filmmetiers. Ihre Musik und der *Soundtrack* beeinflussen das Filmerlebnis in hohem Maße.

Die Wirkungskraft des Tons im Film wurde früh erkannt. Tatsächlich war ein Stummfilm nie wirklich stumm. Die musikalische Begleitung reichte vom Pianisten über ein kleines Ensemble bis hin zu einem Sinfonieorchester der Kategorie A. Große Filmproduktionen erhielten eine eigens komponierte Filmmusik, kleinere Filme waren abhängig vom Repertoire der jeweiligen Musiker. Fehlte der Musiker, kam das Grammofon zum Einsatz. Der in Berlin lebende Italiener Giuseppe Becce brachte seit 1919 eine mehrbändige *Kinothek* (Bildung aus ›Kino‹ und ›Bibliothek‹) heraus, die sowohl eigene kurze Kompositionen wie bekannte musikalische Genrebilder enthielt. Anhand der Vorlagen konnte beispielsweise ein Pianist je nach Stimmungslage des Films die passende Musik spielen. Wenige Jahre vor dem Ende der Stummfilmära veröffentlichte Becce, zusammen mit dem Kapellmeister Hans Erdmann, das *Allgemeine Handbuch der Film-Musik,* das in einem thematischen Skalenregister 3050 Musikstücke von 210 Komponisten aufführt. Beides – *Handbuch* und *Kinothek* – prägte die Musikillustrationen des Stummfilms. Zur Erzeugung von Geräuschen wurden elektronische oder Blasebalg-Orgeln entwickelt, die über zusätzliche Toneffekte verfügten, wie Pistolenschüsse, Polizeisirene oder Türklingeln. Am bekanntesten war die nach ihrem Erbauer benannte Wurlitzer-Orgel. Darüber hinaus gab es, meist in ländlichen Gegenden, einen ›Kinoerzähler‹, der neben der Leinwand stehend die Zwischentitel vorlas, den jeweiligen Sprachduktus eines Dialogs imitierte und die atmosphärische Stimmung des Films durch entsprechende Kommentare verstärkte. Die Tonspur eines Films teilt sich generell in die drei Kategorien Geräusche, Sprache und Musik, die jeweils einzeln beschrieben werden können.

Geräusche

Zunächst bietet sich an, die Tonquelle möglichst exakt zu lokalisieren. Grundsätzlich unterscheidet man in allen drei Kategorien des Tons zwischen On- und Off-Ton.

Ist die Tonquelle im Bild zu sehen, spricht man von *On-Ton* (von engl. on the screen – auf der Leinwand). Ist sie nicht sichtbar, spricht man von *Off-Ton* (off the screen). Spielt beispielsweise ein Radio im Nebenzimmer oder hören wir Straßenlärm durch ein offenes Fenster, handelt es sich um Off-Töne, die jedoch als Geräuschkulissen zur Glaubwürdigkeit der dargestellten Welt beitragen. Sie sind gewissermaßen die akustische Ausstattung der Filmkulisse. Die realitätsnahe Atmosphäre einer Filmszene hängt in starkem Maße von solchen akustischen Elementen ab, die wir bewusst kaum wahrnehmen.

Die folgende Aussage des Regisseurs Sidney Lumet belegt, wie sorgfältig in großen Produktionen mit der Tonspur gearbeitet wird:

»Falls möglich, entwickeln wir ein Konzept für den Ton. In *Prince of the City* [1981] verwendeten wir am Anfang möglichst viel Geräuschhintergrund, also Verkehrslärm, der von außen in die Räume dringt. Im Laufe des Films werden diese Geräusche immer mehr reduziert, bis am Ende fast nichts mehr an atmosphärischen Geräuschen zu hören ist. Weil wir viel an Außenschauplätzen arbeiten, benutzen wir meist hochspezialisierte Mikrofone, die nur die Tonquellen aufnehmen, auf die sie gerichtet sind – mit einer Abweichung von nur sieben bis 15 Grad. Dadurch werden störende Außengeräusche weitgehend ausgeblendet. Dass durch diese Mikros bei der Arbeit im Studio auch viele durchaus benötigte Geräusche wie Schritte oder rückende Stühle verloren gehen, ist letztlich nicht sehr schlimm. Für ausländische Synchronfassungen müssen nämlich sowieso jeweils von der Dialogspur unabhängige Geräusch- und Musik-Tracks angefertigt werden, denn bei der Synchronisation wird nur die Dialogspur ausgetauscht.«

(Zit. nach: Manthey 1996, S. 413)

Die Ebene der Geräusche, die Lumet hier anspricht, wird bei Filmanalysen allgemein wenig beachtet. Dabei schaffen alle Geräusche zusammengenommen die Atmosphäre (kurz *Atmo*) eines Films und tragen damit wesentlich zu seiner Glaubwürdigkeit bei. Kurioserweise fällt die Atmo erst wirklich auf, wenn sie plötzlich ausgeblendet wird. Das Ergebnis ist ein Gefühl der Unsicherheit oder der Irrealität. Absolute Stille im Film verheißt gewöhnlich nichts Gutes. Etwas deutlicher ist die Arbeit mit Geräuschen in phantastischen Genres. Hier müssen Klänge, die es eigentlich gar nicht gibt, wie zum Beispiel Soundeffekte von fliegenden Untertassen oder Phaser-Pistolen, häufig regelrecht hergestellt werden. Das Bewegungsgeräusch des mechanischen Titelhelden in dem Sciencefiction-Film *Robocop* (1987) erzeugte man, indem das Geräusch vom Einlegen einer Videokassette in den Rekorder verfremdet wurde. Eher selten findet man den Fall, dass ein Off-Geräusch nicht zur dargestellten Szene gehört. Eine Ausnahme bildet der Film *Alien* (1979): Hier werden auf der Tonspur kaum merkliche und sich langsam beschleunigende Herztöne eingesetzt, die vor allem vom Unterbewusstsein wahrgenommen werden und die Emotionen der Zuschauerinnen und Zuschauer manipulieren sollen.

Sprache

Für die Sprache lässt sich die Unterscheidung in On- und Off-Bereiche nach dramaturgischen und erzählerischen Gesichtspunkten treffen. ›Normalfall‹ ist der *On-Ton*: Es werden agierende Figuren gezeigt, und wir hören, was sie sagen – gewissermaßen eine Theatersituation, bei der Sprache und Bild übereinstimmen. Die beiden Ebenen sind synchron. Wendet die Kamera ihren Blick von einer sprechenden Person ab, um beispielsweise die Reaktionen des Zuhörers zu zeigen oder die Umgebung einzufangen, wird die Sprache zum *Off-Ton*, die Aufmerksamkeit des Publikums teilt sich zwischen Bild- und Tonebene.

Das Verhältnis von Sprache im Off und den Bildern kann zu großen Bedeutungsverschiebungen führen. Dem Publikum kann beispielsweise signalisiert werden, dass eine Figur lügt. In Fassbinders *Die Ehe der Maria Braun* (1978) wird Sprache aus dem Off für einen besonderen dramaturgischen Effekt eingesetzt. In der Schlussszene des Films, der im Deutschland nach dem Zweiten Weltkrieg spielt, überlagert die berühmte Fußball-Reportage zum Weltmeisterschaftsendspiel 1954 von Herbert Zimmermann das Gespräch der beiden Eheleute so sehr, dass ihr Dialog kaum noch zu verstehen ist. Der Kommentar zum ›Sieg Deutschlands‹ beendet ironischerweise (oder tragischerweise) die Nachkriegsgeschichte und ist damit mehr als ein einfaches Zeitzeichen. Die Kombination der sich vor Begeisterung überschlagenden Stimme des Reporters mit Bildern des Paars, das sich fremd geworden ist, erzeugt einen kritischen Kommentar zur Diskrepanz von öffentlichem Jubel und persönlicher Krise.

Ein weiterer kommentierender Einsatz von Sprache im Film wird durch einen Off-Erzähler erreicht. Auf der Tonspur vermittelt eine Erzählerstimme (*Voice Over*) Informationen, die die Zuschauenden zum Verständnis der Geschichte benötigen. Neben den unterschiedlichen narrativen Funktionen, die eine solche Erzählerstimme im Film übernehmen kann, können auch Gedanken oder Erinnerungen von Personen durch Off-Sprache transportiert werden.

Musik

Das Filmerlebnis wird zu einem gehörigen Teil von der Filmmusik mitgesteuert. Musik beeinflusst die Rezeption einer dargestellten Situation in erheblichem Maße. Sie kann unsere Emotionen verstärken, eine Szene auf der Leinwand bedeutsam werden lassen, Spannung aufbauen und dramatische Effekte oder Stimmungen aller Art erzeugen.

Die Aufgabe der Musik, die Bilder auf der Leinwand emotional zu unterstützen, ist von den Anfängen der Filmgeschichte bis heute unverändert geblieben. Dieses grundsätzliche Kennzeichen der Filmmusik kann in der Filmanalyse in unterschiedliche Formen und Funktionen weiter ausdifferenziert werden.

Die *Titelmusik* gibt bereits vor dem Einsetzen der Handlung eine Grundstimmung für den Film vor. Pompöse Fanfaren stimmen natürlich auf eine andere Geschichte ein als sanfte Streicher. In der Titelmusik wird das musikalische Leitmotiv vorgestellt, das im Laufe des Films immer wieder in Variationen zu hören sein wird. Bekannte Beispiele sind hier *Vom Winde verweht, Krieg der Sterne* (1977), *Mission: Impossible* (1996).

Weiterhin ist die Musik ein unterstützendes Element in der filmischen Erzählung. Szenenhöhepunkte werden von der Musik akustisch unterstützt, die Musik setzt einen *dramatischen Akzent*. Dieser Akzent kann sowohl situativer Art sein – zum Beispiel wird eine spannende Situation entsprechend illustriert – als auch emotionaler Art – die Musik illustriert den Gemütszustand einer Figur. Eine extreme Form der Illustration ist die *Pointierung* durch die Musik. Hier werden nur kurze Momente der Handlung mit einem passenden akustischen Signal unterlegt. Nur wenige Töne heben eine Bewegung oder ein kurzes Handlungsmoment hervor. Pointierende musikalische Figuren findet man vor allem in Komödien oder Zeichentrickfilmen – deshalb auch die Bezeichnung ›Mickey-mousing‹.

Musik erzeugt Stimmungen. Durch den Einsatz einer eindeutigen Musik kann die Rezeption ambivalenter Bilder gelenkt werden (*Polarisierung*). Wenn man eine Fahrt durch eine nächtliche Großstadt mit einer sinfonischen Musik unterlegt, wird die Szene eher überhöht und entrückt wirken, während die gleichen Bilder, kombiniert mit schneller Hip-Hop-Musik, eine aggressive oder hektische Stimmung erzeugen können. Wenn Stimmung und Aussage der Musik im krassen Gegensatz zu den Bildern des Films stehen, spricht man vom *kontrapunktischen* Einsatz. Ergebnis kann etwa eine kommentierende ›dritte‹ Aussage sein, die weder der optischen noch der akustischen Ebene allein eigen ist.

In *Good Morning, Vietnam* (1987) wird eine Folge von Kriegs- und Gewaltbildern gezeigt, begleitet von Louis Armstrongs Song *Wonderful World*. Aus der Kombination der eindeutigen Bilder (Aussage A: Krieg, Elend) und der eindeutigen Musik (Aussage B: schöne Welt) entsteht eine dritte Bedeutung, die nur in der Verbindung zustande kommt. Die erzeugte Diskrepanz bewirkt in diesem Fall einen sarkastisch-zynischen Kommentar über die Präsenz amerikanischer Truppen in Vietnam.

In vielen Fällen hat die Musik auch eine *Klammerfunktion*. Sie verbindet disparate Bilder und schafft damit erst einen Zusammenhang. Ein durch Schnitt oder Blende erzeugter Ortswechsel oder ein Zeitsprung wird durch eine musikalische Figur verknüpft und in der Chronologie der Erzählung als eindeutig zusammengehörig definiert. Aber auch größere Montagesequenzen werden durch die musikalische Klammer zusammengehalten.

Schließlich ist die kommerzielle Funktion der Musik ein weiterer wichtiger Faktor. Der Einsatz von Pop- oder Rockmusik in Filmen hat weniger dramaturgische Gründe als vielmehr marktstrategische. Die Vermarktung von Filmmusik und das Verbundsystem Film- und Musikmarkt lässt sich an vielen Beispielen zeigen. Der Vermarktungsaspekt – Film wirbt für CD, Videoclip und CD werben wiederum für Film – geht allerdings über die Analyse des Films weit hinaus und führt zu Fragen nach den Strukturen der Medienindustrie (↗ Film im Multimediazeitalter, S. 137–141).

II Mise en Scène – Bildgestaltung und Bildkomposition

Der filmkritische Begriff *Mise en Scène* (frz., in Szene setzen) ist aus dem Bereich der Theaterarbeit entlehnt. Er bezeichnet die bildliche Gesamtkonzeption, das heißt die Komposition eines Filmbildes aus den einzelnen Gestaltungselementen, die vor und mit der Kamera inszeniert werden können.

Im Gegensatz zu ›Montage‹, der zeitlichen Anordnung und der Weiterverarbeitung des Film- und Tonmaterials nach den Dreharbeiten, wird unter den Begriff ›Mise en Scène‹ all das gefasst, was während der Dreharbeiten für die Kamera arrangiert wird. Darunter fallen beispielsweise die räumliche Beziehung zwischen Personen und Objekten, Größenverhältnisse und Relationen im Filmbild, Licht und Schatten, Farbe, Ausstattung oder Kostüme.

Weil das Filmbild im Gegensatz zur Bühne des Theaters zweidimensional ist und keine wirkliche Tiefe besitzt, müssen alle räumlichen Relationen durch Größen- und Schärfenverhältnisse im Bild verdeutlicht werden. Ob ein Bildhintergrund ebenso fokussiert gezeigt wird wie ein Objekt oder eine Person im Vordergrund, kann den Charakter einer Szene stark beeinflussen. Schärfenverlagerungen im Bild lenken ebenso die Aufmerksamkeit der Zuschauerinnen und Zuschauer – oftmals für sie unbewusst – wie die Kamerabewegung innerhalb einer Einstellung, wodurch Personen und Gegenstände aus dem Bild verschwinden können und der Fokus der Szene kontinuierlich verändert werden kann.

Offene und geschlossene Form

In der Inszenierung des Filmbildes können bereits sehr unterschiedliche grundsätzliche Konzepte von der Abbildung der Filmwirklichkeit deutlich werden. Erscheint das Filmbild in allen Aspekten bewusst gestaltet und gibt es einen klar definierbaren Inhalt wieder, spricht man von einer *geschlossenen Form*. Die Bilder erscheinen durchkomponiert und konzentriert. Innerhalb des Bildrahmens sind alle handlungsrelevanten Personen und visuellen Informationen in einem deutlichen Verhältnis zueinander erfasst. Im klassischen Hollywood-Stil (↗ Unsichtbarer Schnitt, S. 71 f.) ist dies das vorherrschende Paradigma.

Als Musterbeispiele für geschlossene Bildkompositionen, in denen nichts dem Zufall überlassen wird, gelten auch die Arbeiten von Stanley Kubrick. Die tableauartigen Arrangements in *Barry Lyndon* (1975) sind dafür ein extremes Beispiel. Die Einstellungen rekonstruieren die Bilderwelt des 18. Jahrhunderts, sie sind in ihrem Aufbau an Gemälde von Watteau, Gainsborough und Hogarth angelehnt und zitieren diese zum Teil auch direkt.

Einer *offenen Form* – und damit einer eher der realistischen Darstellungsweise zugerechneten Bildkomposition – folgen beispielsweise die diversen ›neuen‹ Strömungen des europäischen Nachkriegsfilms. Die Kamera scheint hier nur einen Ausschnitt einer viel größeren Wirklichkeit einzufangen, der abgebildete Handlungsraum wirkt offen für neue Elemente. Typisch sind etwa die Straßenszenen in François Truffauts *Sie küßten und sie schlugen ihn* (1959), die den Protagonisten beim Herumstreunen in der Großstadt eher beiläufig zeigen und ihn dabei sogar manchmal aus dem Blick verlieren. Ebenso wie die jungen französischen Filmemacher der fünfziger und frühen sechziger Jahre (neben Truffaut vor allem Jean-Luc Godard, Jacques Rivette und Eric Rohmer) waren auch die britischen Regisseure des *New Cinema* wie Tony Richardson oder Lyndsay Anderson mit einer kritischen Haltung angetreten, die sich formal in der Opposition zur geschlossenen, optisch ›ästhetisch sauberen‹ Dominanz des etablierten Kinos befand. Die Filme weisen häufig einen halbdokumentarischen Stil auf, die Bilder wirken direkt und spontan. Als in den USA Ende der sechziger Jahre Vertreter des *New Hollywood* Furore machten, waren auch bei ihnen die Versuche zur Erneuerung der Filmsprache unter anderem in der offenen Bildform evident. Die frühen Filme von Robert Altman (*M*A*S*H*, 1969), Bob Rafelson (*Ein Mann sucht sich selbst*, 1970) oder Martin Scorsese (*Hexenkessel*, 1973) sind Beispiele dieser – relativ kurzen – ästhetischen Opposition nach dem Zusammenbruch des alten Studiosystems.

Rainer Werner Fassbinder hingegen, einer der wichtigsten Vertreter des ›Neuen Deutschen Films‹, betrieb die ästhetische Opposition zum Kino der Väter mit gegenteiligen Mitteln. Filme wie *Katzelmacher* (1969), *Martha* (1973) oder *Angst essen Seele auf* (1974) sind aufgrund ihrer extremen Stilisierung Beispiele für die *geschlossene Form*. Hier wird die Bildkomposition allerdings nicht im Hollywood-Sinn für eine gefällige, ›bequeme‹ Präsentation der Geschichte genutzt, sondern ihre Abgeschlossenheit erscheint bereits als Kommentar zu den starren gesellschaftlichen und zwischenmenschlichen Verhältnissen.

Mise-en-Scène-Analyse

Anders als bei einer Szene im Theater muss jede Filmszene als das Ergebnis einer bewussten Auswahl aus dem potenziell unbegrenzten Handlungsraum verstanden werden. Während der Theaterzuschauer dem Bühnengeschehen aus immer gleicher Distanz folgt und den gesamten Bühnenraum vor Augen hat, seinen Blick also ›schweifen lassen‹ kann, ist der Filmzuschauer den Ausschnitten des Geschehens ausgesetzt, die der Filmemacher ausgewählt hat. Die Freiheit des Filmzuschauers ist also weitaus stärker beschränkt, die Manipulationsmöglichkeiten des Regisseurs sind beim Film weitaus größer als auf dem Theater. Jede neue Einstellung sollte deshalb auch als eine bewusste Auswahl aus vielen möglichen Perspektiven und Darstellungsmodi betrachtet werden.

Für die Analyse eines Filmbildes ist die Ausstattung häufig von besonderer Bedeutung. Zunächst charakterisiert sie in Kleidung und Requisiten die handelnden Figuren, sie kann aber auch einen Kommentar zum Geschehen auf der Leinwand oder dem Bildschirm leisten. Einzelne Gegenstände können stark symbolischen Charakter annehmen, die Kamera kann durch ihre Positionierung Akzente setzen, die Aufmerksamkeit des Publikums auf Details lenken und so etwa einen gesprochenen Text als Lüge entlarven oder eine ganz andere Bedeutung erschließen.

In der vierten Episode von Edgar Reitz' Filmreihe *Die zweite Heimat* (1992/93), *Ansgars Tod*, erhält der ›Gelegenheitsstudent‹ Ansgar in Mün-

12 »Die zweite Heimat« (BRD 1992/93, Edgar Reitz):
Die Anordnung der Personen im Filmbild gibt Auskunft
über deren Beziehungen.

chen überraschenden Besuch von seinen Eltern aus Rosenheim. Eine Sequenz des Films zeigt, wie die Eltern versuchen, ihren Einfluss auf den Sohn wiederzuerlangen. Dabei wird schon in der Bildkomposition die Relation der Personen deutlich. Obwohl die Mutter verbal die Szene beherrscht (sie redet unablässig davon, dass Ansgar »seine Eltern im Stich lässt«, und erinnert ihn an seine glückliche Kindheit), hebt der Bildaufbau den Vater hervor. Er ist häufig im Bildvordergrund platziert und nimmt damit mehr Bildraum ein als die Mutter. Ansgars Freundin, die bis dahin als selbstbewusste junge Frau porträtiert wurde, erhält hier nur noch einen Platz im Hintergrund. Das Arrangement der Figuren im Filmbild spiegelt wieder, wie Ansgar, am linken Bildrand, die Situation erlebt und welchen Platz Vater, Mutter und Freundin in seiner Wahrnehmung einnehmen (Abb. 12).

Neben solchen Verweisen, bei denen durch die Arbeit der Kamera Beziehungen herausgearbeitet werden können, ist die Verwendung von anderen Zeichensystemen im Filmbild eine weitere Möglichkeit, Akzente zu setzen. Vor allem der Gebrauch von Schrift verdeutlicht das. Für die Mise-en-Scène-Analyse sollte alles Lesbare im Filmbild in Bezug auf die Interpretation einer Szene ernst genommen und herangezogen werden, das heißt, Werbebotschaften, Zeitungsüberschriften oder Buchtitel, die zu entziffern sind, gehören zwar häufig zur Kulisse einer Szene, erhalten aber im Kontext eines geschilderten Konfliktes oder für die Charakterisierung einer Figur auch eine weitere Bedeutung. Sie können ein Kommentar zur Handlung sein oder eine Situation ironisieren.

Als ein Meister der Mise en Scène gilt der Regisseur Douglas Sirk, der seine vielschichtige Bildersprache vor allem im Genre des Melodramas perfektionierte. Sirks Filme erlauben es, sie einerseits als große Rührstücke zu erleben (›Kitschfilme‹), sie bieten durch die Bildkomposition andererseits aber auch die Möglichkeit für eine distanzierte kritische Lesart.

In den Wind geschrieben (1956) erzählt vom Zerfall einer amerikanischen Familie aus dem Milieu der texanischen Ölmillionäre. Starke dramatische Handlungselemente prägen die Geschichte um die dekadente Erbengeneration, die mit ihren Neurosen und Exzessen an die Figuren von Tennessee Williams erinnert. Wird hier auf der nacherzählbaren Ebene also eine wilde Kolportagegeschichte dargeboten, so unterläuft Sirk die Anhäufung von trivialen Handlungsmustern durch seine Inszenierung und bietet damit die Möglichkeit, die Geschichte auch ganz anders zu sehen. Der Film ist voller phallischer Symbole für Erotik und Gewalt. Er schafft durch die Anhäufung dramatisch-symbolischer Situationen eine Verdichtung der Konflikte und bietet für das aufmerksame Publikum

13 a–d »In den Wind geschrieben« (USA 1956, Douglas Sirk): Die Inszenierung der Filmbilder kann die Handlung pointieren und ironisieren.

durch den massiven Einsatz von Klischees zugleich die Möglichkeit der ironischen Distanzierung.

Als Beispiel soll eine kurze Szene dienen, in der sich der ehemalige Alkoholiker und Millionenerbe Kyle Hadley mit seinem Arzt in einem Lokal trifft. Der teilt ihm mit, dass er möglicherweise keine Kinder zeugen kann. Entsetzt von dieser Nachricht verlässt Kyle das Lokal.

Zu Beginn des Gesprächs zwischen Arzt und Patient zeigt die Kamera die beiden Männer leicht aufsichtig am Tisch sitzend (Abb. 13 a). Im Bildvordergrund sind drei Verschlüsse verschiedener Karaffen zu erkennen (phallische Form), die weibliche Bedienung wirft einen Schatten auf Kyles Gesicht. Er trägt einen dunklen Anzug und hat seinen Blick gesenkt. Nachdem Kyle von seinem Arzt mitgeteilt worden ist, dass sein Fruchtbarkeitstest auf eine »Schwäche« hindeutet, umklammert er das Glas, das vor ihm steht. Der Hintergrund zeigt ein vergittertes, undurchsichtiges Fenster. Der Bildausschnitt wirkt dadurch sehr beengend (Abb. 13 b). Begleitet von dramatisch aufbrausender Musik verlässt Kyle mit verzweifelt-verlorenem Blick das Lokal. In einer Halbtotalen sehen wir erstmals die großen Schilder mit der Aufschrift »Drugs here«, die im Lokal hängen und hier natürlich nicht als einfache Werbeplakate zu verstehen sind, sondern vielmehr die Gefahr andeuten, dass der Alkoholiker Kyle nach dieser schlechten Nachricht einen Rückfall erleiden wird (Abb. 13 c). Wie zum Hohn begegnet Kyle am Eingang einem Kind, das auf einem mechanischen Pferd reitet und ihm auch noch hinterherlacht, als er die Szene verlässt (Abb. 13 d). Der grinsende Junge ist die Projektion seines nun unerfüllbar scheinenden Wunsches nach einer eigenen Familie. Das Reiten ist als eindeutige sexuelle Metapher kaum misszuverstehen.

Ein weiteres eindrückliches Beispiel für erzählende Bildarrangements findet sich in Steven Spielbergs *Die Farbe Lila* (1985). Die Hauptfigur Celia soll ihren Mann rasieren. Die verzweifelte Frau, die von ihrem Ehemann seit langem unterdrückt und gedemütigt wird, wirkt seltsam ernst und entschlossen, als sie das Rasiermesser schleift. Durch eine Einstellung, in der das Messer im wahrsten Sinne des Wortes über dem tyrannischen Ehemann gewetzt wird, suggeriert Spielberg dem Publikum, dass Celia weniger die Rasur als vielmehr einen Mord vorbereitet. Allein durch den ungewöhnlichen Bildaufbau wird eine im Grunde ›normale‹ Situation mit einer neuen Bedeutung aufgeladen. Das Publikum *sieht*, was sie plant (Abb. 14).

14 »Die Farbe Lila« (USA 1985, Steven Spielberg):
Bildsprache

Unterrichtspraktische Hinweise

Grundsätzliche Empfehlungen

1. Wir raten davon ab, komplette Filme zu zeigen, weil Zeitkorsett und technische Voraussetzungen dagegensprechen. Kaum ein Film ist 90 Minuten lang und passt in eine Doppelstunde. Darüber hinaus sind die äußeren Voraussetzungen für die Rezeptionsleistung enorm wichtig. Wenn große Klassen auf kleine Monitore starren, ist das für Filmanalyse und -interpretation nicht sehr dienlich.

   Stattdessen empfehlen wir eine ausführliche Beschäftigung mit einzelnen Filmbildern und kurzen Sequenzen, die beliebig lang gezeigt beziehungsweise oft wiederholt werden können.

2. Abzuraten ist auch davon, ausführliche Filmprotokolle schreiben zu lassen. In vielen Lehrbüchern der siebziger Jahre wird die Anfertigung eines Filmprotokolls als Analysegrundlage vorausgesetzt. Der Auffassung, man könne einen Film durch die minutiöse Verschriftlichung aller technischen, ästhetischen und dramatischen Abläufe der jeweiligen Einstellung wieder *lesbar* machen, liegt eine eklatante Verkennung der spezifischen Sprache des Films zugrunde. Außer einer diffusen empirischen Materiallage erbringen solche Protokolle keine nennenswerten Erkenntnisse.

   Stattdessen empfehlen wir – als Teamarbeit oder Hausaufgabe – die Anfertigung eines Sequenzprotokolls (↗ Beispiele für Sequenzprotokolle, S. 130–134): Der Film wird in seine einzelnen Kapitel zerlegt. Ratsam ist die Protokollierung der laufenden Zeit (mit Stoppuhr oder der eingebauten Uhr des Videorekorders), der Handlungszeit (Orientierungspunkte sind Orts-/Zeit-/Personenwechsel) und des jeweiligen Inhalts in Form von Synopsen (hilft beim Sprechen über den Film und beim Suchen der entsprechenden Filmstelle).

3. Nicht nur jenen, die mit der Technik des Videorekorders auf Kriegsfuß stehen, empfehlen wir, die Handhabung des Geräts (Aufnehmen, Kopieren, Standbilder schalten etc.) an die Schülerinnen und Schüler zu delegieren. Deren Know-how ist wesentlich perfekter und ihre Motivation zur Erfüllung solcher Aufgaben erfahrungsgemäß sehr hoch.

Analyse des Filmbilds

Die Vielzahl der visuellen Informationen kann schon durch die genaue Beschreibung eines Standbildes (*Frame*) bewusst gemacht werden. Ein erster Schritt der Mise-en-Scène-Analyse ist somit immer die genaue *Bildbeschreibung*. Hierzu gehören beispielsweise:

– Fragen nach dem Bildaufbau: Wie ist das Verhältnis von Bildvordergrund, Bildmitte und Hintergrund?
– Fragen nach der äußeren Erscheinung der Figuren/Schauspieler: Wirken sie sympathisch oder unsympathisch? Wie kommt dieser Eindruck zustande?
– Welche Aussagen lassen sich über Schauplatz, Ausstattung und Dekoration treffen: üppig, erdrückend, karg, nüchtern, modern, antiquiert? Wie charakterisieren diese ›Äußerlichkeiten‹ die Figuren oder die dramatische Situation?
– Wie sind die Lichtverhältnisse?
– Welche Farbtöne herrschen vor?
– Welche Stimmung wird durch das Zusammenspiel all dieser Faktoren erzeugt?

In einem zweiten Schritt kann dann als eine Art ›erweiterte Bildbeschreibung‹ die gesamte Einstellung analysiert werden, dazu zählen auch die Aspekte der Bewegung vor und mit der Kamera. Diese Analyse des kompletten Filmbildes (also der ›Einstellung von Schnitt zu Schnitt‹) kann sehr aufschlussreich sein und zu Bedeutungszusammenhängen führen, die von Handlung und Dialog allein nicht vermittelt werden, diese sogar gelegentlich konterkarieren.

Bei der Auseinandersetzung mit dem Film sollten deshalb das gesprochene Wort und die nacherzählbare Handlung immer in enger Beziehung zur Bildkomposition gesehen werden. Das Filmbild kann weitaus mehr Informationen transportieren, als den Zuschauerinnen und Zuschauern zunächst bewusst ist.

Eine erweiterte Bildbeschreibung kann unter anderem nach folgenden Kriterien fragen:

– Wie verändern sich die Einstellungsgrößen und die Einstellungsperspektiven?
– Einstellungskonjunktionen: In welchem Verhältnis beginnt oder endet die Einstellung zu der vorhergehenden und der nachfolgenden (harte Schnitte, Auf- oder Abblende, Überblendung)?
– Wie lange dauert die Einstellung?
– Welche Kamerabewegungen werden ausgeführt?

Auch Fragen nach Objektbewegungen und Objektbewegungsrichtung können aufschlussreich sein:

– Welche Charaktere und Objekte verschwinden aus dem Bildraum, welche kommen neu hinzu?
– Wie verändern sich Licht- und Farbverhältnisse in der Einstellung beziehungsweise im Verlauf der Szene?

Praktische Arbeit

Im Anschluss an eine Einführung in die Filmanalyse bietet es sich an, die einzelnen Aspekte des Mediums Film in praktischer Arbeit nachzuvollziehen. Schon einfache Übungen sensibilisieren für den immensen Unterschied zwischen einer wahrgenommenen Alltagssituation und den davon aufgezeichneten Bildern. Außerdem zeigt sich schnell, dass selbst kleinste Übungen und Inszenierungen mit der Film- beziehungsweise der Videoausrüstung mehr Zeit und Überlegung kosten, als man vermutet.

Mindestausstattung

Die Mindestausstattung für praktische Übungen muss aus einer Videokamera und einem geeigneten Monitor bestehen. Für eigene Übungen mit Toneffekten sind natürlich ein stereotauglicher Videorekorder (mit zwei Toneingängen) und eine entsprechende Musikquelle (Kassettenrekorder oder CD-Player) notwendig. Bei der Arbeit mit Licht und Lichteffekten genügt es prinzipiell, über eine Verdunklungsmöglichkeit sowie eine bewegliche Lichtquelle zu verfügen.

Selbstverständlich wäre es wünschenswert, wenn diese Minimalausstattung erweitert werden kann, beispielsweise durch ein Kamerastativ, einen oder mehrere Scheinwerfer (mit farbigen Masken/Folien für farbiges Licht) oder ein zusätzliches externes Mikrofon.

Recherche

Vor Beginn kleiner praktischer Übungen ist eine technische und organisatorische Recherche nötig: Wo sind die Steckdosen angebracht? Sind Verlängerungskabel und Mehrfachsteckdosen vorhanden? Wie steht es um die Verdunkelungsmöglichkeiten, wie um den Lärmpegel am Drehort?

Viele frustrierende Erfahrungen lassen sich vermeiden, wenn man die Gegebenheiten am Drehort kennt und sich über die ›Machbarkeit‹ der geplanten Aufnahmen bereits im Vorfeld Gedanken macht.

Kamera

Die Wirkungsweisen von Einstellungsgrößen, Kameraperspektiven und Kamerabewegungen lassen sich mit der beschriebenen Mindestausstattung leicht ausprobieren.

- Aufnahmen eines Objekts in den beschriebenen Einstellungsgrößen: Für welche Aussageintention eignet sich welche Einstellungsgröße besonders: Totale eines Klassenraums, Detailaufnahmen von Gegenständen oder die Aufnahme einer Schülerin/eines Schülers in verschiedenen Größen? Worauf achtet man bei welcher Einstellungsgröße vor allem (Gestik, Mimik)?
- Aufnahmen eines Objekts aus verschiedenen Perspektiven: Für welche Aussageintention eignet sich welche Perspektive besonders: Schüler-Lehrer-Verhältnis in Auf- und Untersicht (Lehrende stehend, Lernende sitzend)? Welcher Effekt ergibt sich bei umgekehrter Sichtweise?
- Unterscheidung der Wirkung von langsamen und schnellen Schwenks: Wird das Publikum durch die Bewegung der Kamera informiert oder irritiert?
- Welche Wirkungen oder Aussagen lassen sich durch Kamerabewegungen auf ein Objekt hin beziehungsweise durch eine Rückwärtsbewegung der Kamera erzielen?
- Wie lassen sich durch Kamerabewegungen Beziehungen zwischen Objekten und Personen herstellen?

Licht

Für die Beleuchtungsübungen sollte möglichst ein neutraler weißer Hintergrund vorhanden sein. Auch mit geringen Mitteln lassen sich die unterschiedlichen Wirkungen des Lichts leicht feststellen.

- Wie wirkt ein Gesicht, wenn es von unten angestrahlt wird, im Gegensatz zu einer Beleuchtung von oben, den Seiten oder von hinten? Umgekehrt gefragt: Wie lasse ich durch die Beleuchtung eine Person sympathisch oder unsympathisch erscheinen?
- Versuchen Sie, dieselbe Person einmal als Held und dann als Bösewicht auszuleuchten.

Ton

Grundsätzlich lässt sich die Wirkung der Tonspur durch einfaches Wegdrehen der Lautstärke verdeutlichen. Betrachtet man Filmbilder ohne jedes Geräusch oder ohne musikalische Begleitung, so kann der emotionalisierende Charakter der Szene verloren gehen, oder aber die Atmosphäre einer Szene wird nicht deutlich.

- Welche Informationen gibt eine Szene ohne Ton, und wie wirkt sie?

Ein Vergleich von Stummfilmszenen mit Szenen aus zeitgenössischen Filmen kann zeigen, dass unter unterschiedlichen technischen Bedingungen unterschiedliche Erzählstrategien angewandt werden müssen.

– Vergleichen Sie eine Szene aus *Nosferatu* mit der entsprechenden Szene aus *Bram Stokers Dracula* und thematisieren Sie den visuellen Informationsgehalt im Gegensatz zur Information durch den Dialog.

Die Wirkung der Musik im Film lässt sich besonders gut veranschaulichen, wenn man eine bestimmte Filmszene mit Musik verschiedener Stilarten unterlegt und die jeweils entstehende Atmosphäre/Stimmung diskutiert.

– Kombinieren Sie eine ruhige Landschaftsaufnahme mit a) sinfonischer Musik, b) Techno-Beat und c) einer Blues-Ballade. Welche Schlussfolgerungen für die Bild-Ton-Kombination können gezogen werden? Wie verändert sich jeweils die Aussage des Filmausschnitts?

Insgesamt sollen diese einfachen Übungen für die Komplexität eines Films sensibilisieren und deutlich machen, dass Filmproduktionen im höchsten Maße arbeitsteilig sind. Man kann etwa im Anschluss an eigene filmpraktische Erfahrungen eine *Credit*-Liste untersuchen, um herauszuarbeiten, wie groß die Anzahl der an einem Film beteiligten Personen ist. In höheren Klassen kann eine Diskussion über die unterschiedlichen Voraussetzungen für eine literarische und filmische Produktion dann wichtige Erkenntnisse für den Umgang mit der Literaturverfilmung liefern.

III Montage

Die Montage ist Teil der Post-Production, die nach Beendigung der Dreharbeiten beginnt. Die einzelnen, unzusammenhängend gedrehten Einstellungen und die Tonquellen werden unter dem Aspekt einer raum-
zeitlichen Kontinuität zusammengesetzt. Da in der Regel wesentlich
mehr Material produziert als für einen Film letztlich benötigt wird, muss
der Verantwortliche für den Schnitt (*Editor, Cutter*) zunächst eine Auswahl treffen. Diese erste Schnittfassung nennt man *Rohschnitt*. Sie orientiert sich an den Vorgaben des Drehbuchs und der Regie. Um den Einstellungen die richtige Länge und dem Film damit seinen spezifischen
Rhythmus zu geben, sind weitere Umschnittarbeiten notwendig. Darüber hinaus werden Tricksequenzen, Einblendungen, Überblendungen
und andere optische Effekte am Schneidetisch erzeugt, bis schließlich mit
der Abnahme des *Feinschnitts* die kreative Arbeit des Editors/Cutters beendet ist. In den letzten Jahren wird der Schneidetisch mit seinem Kon-
trollmonitor und den verschiedenen Filmrollen zunehmend durch die
platz- und zeitsparenden digitalen Computer-Schnittplätze ersetzt.

Das Filmlabor erzeugt vom Feinschnitt eine *Nullkopie*. Bevor die endgültige Version für das Kino (*Theaterkopie*) oder das Fernsehen (*Sende-
kopie*) hergestellt wird, können gegebenenfalls noch Farb-, Licht- und Ton-
korrekturen vorgenommen, Filmmusiken und andere akustische Effekte
hinzugefügt werden. Die Anzahl der Theater- oder Sendekopien ist abhängig von der Marktstrategie. Es können zwischen zwei für einen *Low-
Budget*-Film und 2000 für Hollywood-Großproduktionen wie *Jurassic
Park* (1993) oder *Titanic* (1997) sein.

In den letzten Jahren tauchten vermehrt Kinofilme mit der Bezeichnung *Director's Cut* auf (*Blade Runner*, 1994, urspr. 1982; *Der mit dem
Wolf tanzt*, 1996, urspr. 1990; *Léon – Der Profi*, 1996, urspr. 1994). ›Director's Cut‹ bezeichnet die vom Regisseur intendierte Schnittfassung.
Im extrem arbeitsteiligen Produktionsprozess hat der Regisseur jedoch
nur in seltenen Fällen die alleinige Kontrollgewalt über den Film. Insofern ist es nicht selten, dass der Produzent den fertigen Film nochmals be-
arbeiten lässt. Das kann viele Gründe haben: Entweder erscheint der Film
der Firma zu lang oder zu kompliziert oder aber das Ende entspricht nicht
den Erwartungen. Hollywood-Produktionen werden in der Regel vor
ihrem Kinostart einem Testpublikum vorgeführt. Dessen Kritik kann den
Ausschlag für manifeste Eingriffe in das Werk geben. So kommt es im-

mer häufiger vor, dass Filmszenen nachinszeniert oder Filmenden völlig neu gestaltet werden. Diese endgültige Kinoversion nennt man *Final Cut.*

Die Eingriffe können so gravierend sein, dass der Final Cut kaum noch Ähnlichkeit mit dem Director's Cut hat. In einigen Fällen distanzieren sich Regisseure dann auch von der Kinoversion. Filme, in denen als Regisseurname Alan Smithee (Anagram aus ›The Alias Men‹) auftaucht, sind solche Versionen.

Aber auch in staatlich finanzierten Filmstudios sind Eingriffe der Produzenten von der Stummfilmgeschichte bis in unsere Tage zu beobachten. Nur renommierte Regisseure können die vollständige Kontrolle über ein Filmprojekt vertraglich vereinbaren. Insofern muss man auch in der Frage nach der Autorschaft eines Films die grundsätzlichen Unterschiede zwischen filmischer und literarischer Produktion berücksichtigen. Bei der Filmproduktion ist Teamarbeit genuin, das literarische Schaffen bleibt mit Ausnahme der schematisierten, seriellen Literatur in der Hand einer Autorin beziehungsweise eines Autors.

Im Folgenden werden zunächst in chronologischer Reihenfolge die Entdeckung des Schnitts, seine Möglichkeiten zur Manipulation von Zeit und Raum sowie die unterschiedlichen Montagekonzepte vom auffälligen Schnitt des russischen Revolutionskinos bis hin zum unauffälligen (›unsichtbaren‹) Erzählen des Unterhaltungskinos behandelt. Danach werden die konventionalisierten Formen des Schnitts vorgestellt, aber auch ihr Gegenentwurf – die Plansequenz. Die Montageideologie der Videoclipästhetik beendet dieses Kapitel.

Anfänge der Montage: Manipulation von Raum und Zeit

Als am 28. Dezember 1895 im Indischen Salon des Pariser Grand Café die Brüder Louis und Auguste Lumière ihre »Bewegungen auf einer Leinwand« präsentierten, ahnte keiner der Anwesenden, dass hier der Grundstein für die beherrschende Kunstform des 20. Jahrhunderts gelegt wurde.

Die beiden Söhne eines reichen Fabrikanten fotografischer Papiere aus Lyon hatten schon seit längerem an einem Apparat gearbeitet, der Bewegungsabläufe aufnehmen und wiedergeben konnte und den sie ›Kinematograph‹ nannten (griech. kinema – Bewegung, grapho – Zeichnung). Es war dies ein Holzkasten, der wie eine größere Lochkamera aussah und mit einer kleinen Handkurbel für den Filmtransport versehen war.

Auch in anderen Ländern experimentierten zu dieser Zeit Fotografen, Techniker und Konstrukteure mit Aufnahme und Projektion bewegter

Szenen. Doch allein der überraschend handliche Kinematograph der Brüder Lumière konnte sowohl aufnehmen als auch projizieren! Zusätzlich diente er als Entwicklungsgerät für die belichteten Filmstreifen. Zwar hatte die Firma Edison in den USA bereits 1892 das ›Kinetoskop‹, ein Ein-Personen-Guckkastenkino, konzipiert und die Brüder Max und Emil Skladanowsky hatten schon am 1. November 1895 im Berliner Varietee ›Wintergarten‹ ein kurzes Filmprogramm mit ihrem Doppelprojektor ›Bioskop‹ öffentlich vorgeführt. Dennoch markiert der 28.12.1895 die historische Geburtsstunde des Kinos, weil hier erstmals ein *zusammenhängender Filmstreifen öffentlich* vor zahlendem Publikum gezeigt wurde. Edisons Kinetoskop konnte nur jeweils von einer Person betrachtet werden, und Skladanowskys Bioskop musste wegen der zu geringen Aufnahmesequenz von acht Bildern pro Sekunde zwei Filmstreifen abwechselnd projizieren – der gleichmäßige Bewegungseindruck stellt sich ab 16 Bildern pro Sekunde beim Betrachter ein.

In den ersten Jahren des Films beschränkten sich die Kameraleute auf kurze, knapp einminütige Szenen aus dem Alltagsleben: ein in den Bahnhof einfahrender Zug, aus einer Fabrik strömende Arbeiterinnen und Arbeiter (Abb. 15), das tosende Meer. Die noch unbewegliche Kamera filmte so lange, bis der 20 Meter lange Filmstreifen zu Ende war. Aufgrund des großen Bedarfs an der neuen Wirklichkeitsillusion entstanden allein im Hause Lumière bis zum Beginn des 20. Jahrhunderts mehr als 2000 Filme, die auf der ganzen Welt vorgeführt wurden. Vor Errichtung orts-

Lumière: Sortie d'usine
© association frères Lumière

15 »Arbeiter beim Verlassen der Fabrik Lumière in Lyon« (F 1895, Louis Lumière): Der erste Film der offiziellen Filmgeschichtsschreibung

fester Kinos (ab 1908) wurden die Filme in Theatern, Kneipen oder auf Rummelplätzen vorgeführt. Das Filmprogramm, bestehend aus sieben bis zehn kurzen Filmen, wurde dabei immer häufiger durch inszenierte fiktionale Geschichten – meist Komödien – angereichert.

Ein anderer wichtiger Filmpionier der ersten Stunde war Georges Méliès, Inhaber und Direktor eines Pariser Theaters. Er experimentierte als Erster mit den technischen Möglichkeiten des Films (Stopptricks, Rückwärtslauf, Doppelbelichtungen) und er gilt als Schöpfer des Filmschauspiels. Denn Méliès realisierte mit Schauspielern längere fiktionale Handlungen in seinem Studio. Er orientierte sich dabei an den phantastischen Sujets der Märchen (*Cinderella*, 1899) und an Jules Verne (*Die Reise zum Mond*, 1902). Für seine Filmerzählungen nutzte Méliès zwar schon das Mittel der Montage – er klebte die einzelnen Szenen aneinander –, jedoch löste er noch nicht die Einheit von Zeit und Raum auf. Jede Szene beginnt und endet an einem fest umrissenen Handlungsort. Die Kamera bleibt immer in gleicher Entfernung zu den Schauspielern – meist in der Halbtotalen – und bewegt sich nicht.

Diese Erzählweise in Tableaus – vom Theater her bekannt – wurde zuerst von einem Mitarbeiter der amerikanischen Edison Company aufgebrochen: Edwin S. Porter, seinerseits Anhänger der Werke von Méliès, suchte im Frühjahr des Jahres 1903 nach Möglichkeiten, dem ständig wachsenden Bedürfnis des Publikums nach neuen Filmattraktionen entgegenzukommen. Aus dem riesigen Archiv der Edison-Filme wählte er zum Thema Feuer passendes Material und konstruierte in einer Kombination unterschiedlicher Filmstreifen eine neue Handlung. Die einminütigen Filme enthielten unterschiedliche dokumentarische Aufnahmen von der Ausfahrt eines Feuerwehrgespanns bis hin zu den Löscharbeiten an einem brennenden Haus. Dazu drehte Porter im firmeneigenen Atelier, der »Black Mary«, weitere – fiktionale – Szenen: Ein Feuerwehrmann döst auf der Wache und träumt, wie eine Frau ein Kind ins Bett legt. Dieser Traum wurde mithilfe der Rückprojektion gezeigt. Eine weitere Szene zeigt den Feuerwehrmann bei der Rettung von Frau und Kind aus dem brennenden Zimmer.

Durch die Kombination von dokumentarischen und fiktionalen Szenen entstand der Film *Aus dem Leben eines amerikanischen Feuerwehrmannes* (1903): Während der Feuerwehrmann döst, wird von unbekannt Alarm ausgelöst. Das Feuerwehrgespann fährt aus der Wache und erreicht das brennende Haus. Die Löscharbeiten beginnen, die Leiter wird ausgefahren, und wir werden Zeuge, wie der Feuerwehrmann in letzter Minute Mutter und Kind aus dem brennenden Zimmer rettet.

Die einzelnen Szenen wurden zunächst noch etwas unbeholfen aneinander geschnitten: So waren beispielsweise die Rettungsszene im Zimmer und die gleiche Situation außen (Rettung von Mutter und Kind über die Leiter) nacheinander montiert, sodass das Publikum die Rettung gleich zweimal wahrnahm – einmal aus der Perspektive der gefährdeten Personen und im Anschluss daran aus der Perspektive der Feuerwehrleute. Die beiden Filmstreifen wurden aber wenig später schon so miteinander kombiniert, wie wir das bis heute gewohnt sind: nämlich durch das Hin- und Herschneiden zwischen innen und außen (*Cross Cutting*), sodass beide Handlungsebenen als eine einzige parallel ablaufende Szene wahrgenommen werden (↗ Parallelmontage, S. 81–86).

Es entstand einer der ersten ›Actionfilme‹, der bis in die zehner Jahre weltweit mit großem Erfolg in den ambulanten Kinos gezeigt wurde.

Edwin S. Porter ›entdeckte‹ also das, was den Film bis in unsere Tage ausmacht: die Manipulation von Filmmaterial, von Zeit und Raum mithilfe des Filmschnitts. In seinem nächsten Film *Der große Eisenbahnraub* (1903), mit dem er das Genre des Western begründete, arbeitete Porter erstmals in der Filmgeschichte mit unterschiedlichen Einstellungsgrößen. Neben den gebräuchlichen Halbtotalen verwendete er einige (wenige) Nah- und Großaufnahmen. Indem er einzelne Figuren aus der Handlung hervorhob, lenkte Porter die Aufmerksamkeit des Publikums in Richtung eines größeren erzählerischen Identifikationsangebots.

So war acht Jahre nach der ersten Filmvorführung der Brüder Lumière eine genuin filmische Erzählweise entwickelt, die sowohl eine Abkehr

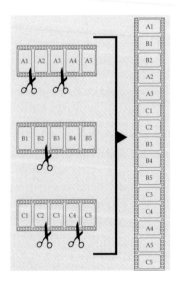

16 Das Prinzip der Montage: Unterschiedliche Aufnahmen (A, B und C) werden so kombiniert, dass eine neue, eigenständige Geschichte entsteht.

von den dokumentarischen Aufnahmen der Alltagswelt wie auch von der theaterhaften und tableauartigen Erzählweise bedeutete.

Die Erfahrung, aus nichtlinear und diskontinuierlich aufgenommem Filmmaterial eine lineare und kontinuierliche Filmerzählung zu schneiden und durch den Wechsel der Einstellungsgrößen dramaturgische Distanz und Nähe zur Handlung und zu den Personen herzustellen, verdrängte die Praxis aus den Gründerjahren, Filme ›an einem Stück‹ zu drehen. Darüber hinaus ermöglichten technische Neuerungen auf dem Gebiet der flimmerfreien Projektion immer längere Filme. Die Attraktion dokumentarischer Aufnahmen wurde abgelöst von der Faszination trivialer Endlosserien (*Nick-Carter*-Filme, 1908/09), monumentaler mehrstündiger Epen (*Cabiria*, 1914; *Die Geburt einer Nation*, 1915) oder des sich als künstlerisch ambitioniert verstehenden Films (*Die Ermordung des Herzogs von Guise*, 1908; *Der Student von Prag*, 1914). Die Phase des ›anarchischen‹ oder ›vorliterarischen‹ Kinos war vorbei.

Assoziationsmontage

Während im westeuropäischen und amerikanischen Kino der zwanziger Jahre der so genannte unsichtbare Schnitt perfektioniert wurde (↗ S. 71 bis 78) und die Beschäftigung mit Lichtgestaltung sowie Schauspielkunst im Vordergrund stand, praktizierten sowjetische Regisseure eine andere Dramaturgie; sie machten neben ungewöhnlichen Kameraperspektiven vor allem den Schnitt zum zentralen Gestaltungsmittel ihrer Filme.

Von Lenin ist der Satz überliefert: »Das Kino ist für uns die wichtigste aller Künste«, und der Revolutionsdichter und Grafiker Wladimir Majakowski nannte das Kino den »Träger der Bewegung«. Im Kontext der revolutionären Bewegung und der russischen Avantgarde fand in der Sowjetunion schon sehr früh eine theoretische Auseinandersetzung mit der filmischen Ästhetik statt, in der es darum ging, den bürgerlichen Filmkunstbegriff zu zerstören und an seine Stelle eine neue filmische Ausdrucksweise zu setzen. Diese Diskussion wurde – anders als in Deutschland – von Praktikern geführt, von Filmemachern, die ihre Intentionen auch immer direkt in ihren Filmen umzusetzen versuchten.

Einer dieser Avantgardisten war der Kunstmaler und Regisseur Lew Wladimirowitsch Kuleschow. Er wurde im Jahre 1919 Leiter der Moskauer Filmhochschule, der ersten Filmakademie überhaupt.

Kuleschows Interesse galt den Manipulationsmöglichkeiten durch den Schnitt. Eines seiner Experimente nannte er »Schöpferische Geographie«:

Ein Mann und eine Frau werden jeweils an unterschiedlichen Orten in Moskau aufgenommen. Der Mann geht von rechts nach links, die Frau in die umgekehrte Richtung. Beide lächeln. In einer dritten Einstellung begegnen sie sich – wiederum an einer anderen Stelle Moskaus –, geben sich die Hand und schauen beide in dieselbe Richtung außerhalb des Bildes. Diese drei Einstellungen wurden kurz hintereinander geschnitten und durch eine vierte Filmaufnahme – das Weiße Haus in Washington – ergänzt. Die Wirkung ist verblüffend. Die reale Topografie wird durch die Zusammenstellung des Filmmaterials auf den Kopf gestellt. Der Betrachter hat den Eindruck, weit voneinander entfernte Moskauer Gebäude rückten zusammen und das Weiße Haus stehe in Moskau.

Kuleschows berühmtestes Experiment – der nach ihm benannte ›Kuleschow-Effekt‹ – basiert auf der Annahme, dass zwei disparate Bilder in der direkten Kombination miteinander eine bestimmte Aussage oder Assoziation beim Betrachter erzielen können. Um diese These zu verifizieren, kombinierte er eine Nahaufnahme aus einem Film mit dem russischen Schauspieler Iwan Mossuchin, in der dieser möglichst neutral blickt, mit anderen Bildern, die in keiner direkten Verbindung zur ersten Aufnahme standen. Durch die Anordnung Mossuchin + Teller Suppe assoziierten Kuleschows Studenten ›Mossuchin hat Hunger‹. Die Kombination von Mossuchin + Sarg führte zur Assoziation Trauer und die Verbindung Mossuchin + halbentblößte schlafende Frau evozierte eine erotische Grundstimmung.

Diese Erkenntnis, dass ein Bild A und ein Bild B in der direkten Konfrontation zu einer neuen Assoziation C führen, sollte in den nächsten Jahren das Montageprinzip der russischen Revolutionsfilme beherrschen.

Der bedeutendste dieser experimentellen Filmemacher war Sergej Michailowitsch Eisenstein. Er wandte die *Assoziationsmontage* (auch Kollisionsmontage) erstmals in seinem Debütfilm *Streik* (1924) an. Eisenstein stützte sich dabei auf die Montageexperimente Kuleschows und die eigene avantgardistische Theaterarbeit innerhalb des Moskauer Proletkults.

In *Streik* ist die Filmhandlung durch Bilder unterbrochen, die für die kontinuierliche Erzählung nicht unmittelbar relevant sind. In der Schlussszene (und dem dramaturgischen Höhepunkt) des Films versucht ein fetter Polizeipräsident, den schlanken und entschlossen wirkenden Sprecher der Fabrikarbeiter als Spitzel zu gewinnen. Als dieser vehement ablehnt, schlägt der Polizeipräsident seine Faust so fest auf den Schreibtisch, dass Tintenfässer umkippen und sich deren Inhalt über den Stadtplan ergießt. Dann folgt der Zwischentitel »Der Schlachthof«. Ähnlich wie im Beispiel *Aus dem Leben eines amerikanischen Feuerwehrmannes* kombinierte Eisenstein nun dokumentarische Aufnahmen von der Schlachtung eines

17 a–d »Streik« (UdSSR 1924, Sergej M. Eisenstein): Assoziationsmontage

Rinds mit inszenierten Szenen von der blutigen Niederschlagung einer
Arbeiterdemonstration durch zaristische Kavallerie.

Ein Prinzip des Revolutionsfilms, das der Charakterisierung durch Ty-
pisierung, wird hier durch die Physiognomie der beiden politischen Anti-
poden (Polizeipräsident und Arbeitervertreter) erfüllt. Die Tinte, die sich
über den Stadtplan in die Wohnviertel der Arbeiter ergießt, ist zugleich
Symbol für das Blut, das in der Schlusssequenz dann tatsächlich fließen
wird.

Die Verbindung von inszenierter Film-Wirklichkeit (Niederschlagung
des Aufstands) und gefilmter Wirklichkeit (Schlachten des Viehs) hebt
zwar die Linearität der Handlung auf, wirkt aber auf das Publikum nicht
verwirrend. Vielmehr steigert es Emotionalisierung und Polarisierung
des Publikums im Sinne der Absicht, es für die revolutionären Ziele des
Sozialismus einzunehmen (Abb. 17 a–d).

Diese Montagetechnik wurde in nahezu allen Revolutionsfilmen der
zwanziger Jahre als didaktisches Mittel zur Charakterisierung von Personen (z. B. Melone + Zigarre + dicker Bauch = Kapitalist) oder zur Manifes-
tation linker Ideologien (z. B. rauchender Schornstein + schwitzende Arbeiter + saufender Kapitalist = Produktionsmittel in falscher Hand) ge-

nutzt. Unter den russischen Revolutionsfilmern war Eisenstein jedoch der Regisseur, der die Assoziationsmontage immer weiter vorantrieb.

In der berühmtesten Szene seines nächsten Films, *Panzerkreuzer Potemkin* – dem russischen Revolutionsfilm mit der größten Wirkungsgeschichte –, inszenierte Eisenstein das historisch überlieferte Gemetzel an der unbewaffneten Bevölkerung Odessas durch Kosakenmilizen auf der Hafentreppe. Während jedes der Opfer durch Halbnah-, Nah- und Großaufnahmen ›ein eigenes Gesicht‹ erhält, werden die Kosaken durch Halbtotale entweder in der Gruppe oder durch Detailaufnahmen der schwarzen Stiefel beziehungsweise der Gewehre gezeigt, also entindividualisiert. Anders als in der historischen Überlieferung beschießen die revoltierenden Matrosen des Panzerkreuzers am Ende der legendären Treppensequenz den Sitz des weißrussischen Generalstabs mit den Schiffskanonen. Eisenstein schnitt nach der Einstellung des feuernden Geschützrohrs drei kurze, aus unterschiedlichen Perspektiven aufgenommene Bilder einer Engelsfigur in den Film. Dieses Engelsegment dauert weniger als eine Sekunde! Danach folgen drei kurze Einstellungen, die aus verschiedenen Perspektiven zeigen, wie ein Tor explodiert. Dem schließen sich drei ebenfalls sehr kurze Bilder von Löwenfiguren an: ein schlafender, ein erwachender und ein brüllender Löwe. Die gesamte Szenerie vom feuernden Schiffsgeschütz bis zum brüllenden Löwen dauert wenig mehr als drei Sekunden, sie ist dennoch von enormer Wirkung.

Die Dreier-Struktur der Montage bestimmt den Rhythmus und setzt die einzelnen – disparaten – Bilder in Beziehung. Die Engelsfigur als höhere Rechtfertigung für das Tun der Matrosen steht als Symbol in emblematischer Beziehung zum Löwen, der als Sinnbild von Stolz und Stärke wiederum in direkte Beziehung zu den Matrosen gesetzt wird. Gleichzeitig repräsentieren die drei Bilder des Löwen die Geschichte des Aufstandes: von den Matrosen, die die Schikanen ihrer Vorgesetzten wehrlos über sich ergehen lassen (Schlafen), über ihr Aufbegehren gegen die verdorbene Kost (Aufwachen) bis hin zur Meuterei und dem Beschuss (Brüllen) des Generalstabs – dessen Macht, aber auch Kompromisslosigkeit wiederum durch das große, geschlossene Gittertor symbolisiert wird.

Wesentlich stärker als in der dichotomischen Gegenüberstellung in *Streik* gelang es Eisenstein mit der Montage in *Panzerkreuzer Potemkin*, die Zusammenhänge von Unterdrückung und Aufbegehren bildhaft auszudrücken. Dabei ging es ihm weniger um die Rekonstruktion der historischen Wahrheit des Jahres 1905. Die klar strukturierte Bilddramaturgie zielt vielmehr auf eine revolutionäre Gesamtaussage. Auch die Engels- und Löwenfiguren wird man vergebens in Odessa suchen. Die drei Löwen waren eine ›Gelegenheitsentdeckung‹ im Park eines Kurortes der Krim, wo sich Eisenstein und seine Mitarbeiter von den Mühen der Vorproduktion zu *Panzerkreuzer Potemkin* erholen wollten.

Nach dem enormen Aufsehen, das das Werk weltweit auslöste, wurde Eisenstein mit einem Prestigeobjekt zum zehnten Jahrestag der russischen Revolution beauftragt. Auch *Oktober* (1927) zeigt nicht einfach die Vorgänge vor und nach dem Sturz des zaristischen Regimes, sondern Eisenstein entwickelte seine Montagetechnik mit dem Anspruch weiter, für noch abstraktere Begriffe visuelle Entsprechungen zu finden.

Um beispielsweise zu zeigen, dass der Ministerpräsident der liberal-sozialistischen Interimsregierung, Alexander Kerensky, die revolutionäre Entwicklung zum Stillstand gebracht hatte, filmte Eisenstein den Kerensky-Darsteller beim Treppensteigen im Ministerium. Dann kopierte er diese Szene mehrfach und montierte sie so aneinander, dass die immer gleiche Treppenflucht mehrmals hintereinander zu sehen ist. Die ›Karriereleiter‹ Kerenskys wird durch Zwischentitel begleitet: »Diktator«, »Kriegsminister«, »Premierminister« und »etc., etc., etc.«. Die intellektuelle Aufgabe für das Publikum bestand nun darin, Kerenskys Aufstieg – karikiert durch die Titelflut – in Beziehung zu setzen mit dem Auf-der-Stelle-Treten in der Politik.

Noch komplizierter wurde es bei dem Versuch, den Schlachtruf »Im Namen Gottes und des Vaterlandes«, mit dem der ehemalige Kommandeur Lavr G. Kornilow den Putschversuch in Petersburg anführte, ad absurdum zu führen. Eisenstein montierte eine lange Kette mit Götterbildern von der frühmittelalterlichen Ikonographie bis hin zu Eskimo-Idolen zu einer Montagesequenz, deren einzelne Bilder sich immer weiter von dem entfernten, was das zeitgenössische Publikum unter ›Gott‹ noch assoziieren konnte. Durch die Vielfalt dessen, was Gott weltweit und historisch bedeuten kann, entlarvte Eisenstein einerseits die chauvinistische Intention der zaristischen Parole Kornilows. Andererseits wollte er, dass das Publikum am Ende der Sequenz antireligiöse Schlüsse zöge.

Das Ziel war der »rein intellektuelle Film, der – befreit von traditioneller Bedingtheit – ohne jede Transition und Umschreibung direkte Formen für Gedanken, Systeme und Begriffe erzielen wird« (zit. nach: Albersmeier 1979, S. 304).

Der Film *Oktober* überforderte das Publikum jedoch und er entsprach nicht den Erwartungen seiner Auftraggeber. Die als ›Formalismus‹ kritisierte Montagepraxis, die das Publikum vor allem intellektuell ansprechen, es ›schockartig‹ zum Denken einer abstrakten oder konkreten Idee veranlassen sollte, brachte Eisenstein in Konflikt mit den Herrschenden. Fortan unterlag der bedeutendste russische Regisseur mit seinen Arbeiten rigider staatlicher Kontrolle.

Die stalinistische Kunstdoktrin des sozialistischen Realismus bedeutete Anfang der dreißiger Jahre das Ende dieser Art Revolutionsfilme. Danach orientierten sich die russischen Filmemacher am konventionellen Erzählstil der anderen Filmnationen, was letztlich nicht nur zu einer Trivialisierung der russischen Filmkunst, sondern auch zu einer weltweiten Nivellierung der Filmsprache führte, die sich, was den Unterhaltungsfilm anbelangt (und als solche waren ja auch die Revolutionsfilme konzipiert), bis in die heutige Zeit gehalten hat.

Festzuhalten bleibt, dass die Revolutionsfilme der zwanziger Jahre mit ihrer besonderen Ästhetik (extreme Kameraperspektiven, Verwendung ausdrucksstarker Symbole, effektvolle Großaufnahmen) und im Verbund mit der spezifischen Montagetechnik die Erzählkunst des Films perfektionierten. Erstmals wurde der Versuch unternommen, über die einfache Handlungsebene hinaus metasprachliche, mehr oder weniger abstrakte Begriffe visuell zu konstituieren und das Publikum zum Mitdenken zu aktivieren.

Assoziationsmontagen – die immer auch deutlich auf den synthetischen und konstruierten Charakter eines Films verweisen – sind als bestimmendes Gestaltungsmittel weitgehend verschwunden. Dennoch gab und gibt es immer wieder Filme, in denen sie als Mittel zur Charakterisierung einer Person oder einer Situation eingesetzt werden.

Ein andalusischer Hund (1928) von Luis Buñuel und Salvatore Dalí sorgte zum Ende der Stummfilmära für Furore. Die beiden Künstler fanden in der Assoziationsmontage die adäquate filmische Ausdrucksform für ihre surrealistische Absicht, einen Gegenstand zu schaffen, der – so Dalí – »zwischen den Händen seiner Feinde explodiert« (zit. nach: Fischer Filmgeschichte. Bd. 2. 1991, S. 92). In dem zwanzigminütigen Film werden Traumwelten und Triebsublimierungen der Protagonisten allein durch die Montage symbolgeladener Bilder verdeutlicht (↗ Abb. 18 a–d). Vor allem aber sollte der Film das Publikum schockieren mit Bildern von bis dahin auf der Leinwand noch nicht gezeigter Drastik und Deutlichkeit. Schon durch die unglaubliche Anfangssequenz – der Schnitt durch das Auge einer Frau (das tatsächlich das Auge einer toten Kuh war) – sollten Sehgewohnheiten korrumpiert, Erwartungshaltungen erschüttert werden. Und immer wieder taucht in der vieldeutigen Bilderflut ein Schlüssel auf – ein Schlüssel zum verdeckten Unterbewusstsein.

Eher zweigliedrig nutzte Charlie Chaplin – wie Kuleschow – die Assoziationsmontage. In *Moderne Zeiten* (1936) kombinierte er Arbeiter mit Bildern einer Schafherde und erreichte damit einen ironischen Kommentar zur Industriegesellschaft.

18 a–d »Ein andalusischer Hund« (F 1928, Luis Buñuel/Salvatore Dalí):
Surrealistische Bildfolge

Als Instrument von Agitation und Propaganda wurde diese Montage-
technik in NS-Filmen eingesetzt. Reichspropagandaminister Joseph Goeb-
bels, der beeindruckt war von *Panzerkreuzer Potemkin,* forderte seine
Regisseure auf, die Assoziationsmontage in diesem Sinne zu nutzen. Der
Film selbst durfte von 1933 an natürlich nicht mehr in deutschen Kinos
gezeigt werden. In Fritz Hipplers Pseudodokumentarstreifen *Der ewige
Jude* (1940) sind Getto-Juden und Ratten gegeneinander geschnitten.
Auch in anderen Hetzfilmen, wie Veit Harlans *Jud Süß* (1940) oder Hans
Steinhoffs *Ohm Krüger* (1941), tauchen kollidierende, disparate Bilder
auf, die in der Kombination ihre menschenverachtende Aussage treffen.
   In der Film- und auch der Fernsehgeschichte trifft man immer häufiger
auf direkte Zitate Eisenstein'scher Montagen. So verwendet beispielsweise Woody Allen die Löwenparabel in seiner Revolutionsfarce *Die
letzte Nacht des Boris Gruschenko* (1974) während des Höhepunkts eines
Liebesaktes, und Francis Ford Coppola übernimmt das Motiv der Rin-
derschlachtung aus *Streik* am Ende des Vietnamfilms *Apocalypse Now*
(1978).
   Was das selbstreflexive Erzählen im Film anbelangt, wird wohl keine
Filmszene so oft zitiert wie die Treppensequenz aus *Panzerkreuzer Po-*

69

19 a–d »Deutschland Neu(n) Null« (F 1991, Jean-Luc Godard):
Assoziationsmontage

temkin, so in der Sciencefiction-Groteske *Brazil* (1984) oder in dem Anti-
Mafia-Krimi *Die Unbestechlichen* (1986).

Auch Vertreter der *Nouvelle Vague* – einer Filmbewegung, die Ende
der fünfziger Jahre in Frankreich gegen das etablierte und konventionalisierte Unterhaltungskino opponierte – setzten sich in ihren Werken mit
den Montagetheorien Eisensteins auseinander. Ihr Exponent Jean-Luc
Godard ist bis heute der Linie treu geblieben, das Synthetische des Kinos
durch den Schnitt herauszuheben statt zu verdecken. In *Deutschland
Neu(n) Null* (1991) dienen montierte Bilder als politisch-geschichtliche
Bestandsaufnahme und als Kommentar zur Wiedervereinigung Deutschlands. Sie setzen beim Publikum Informiertheit voraus und fordern dazu
auf, eigene Schlüsse zu ziehen.

In einer Sequenz zeigt Godard ein junges Paar, das in einem Autohaus
in einem roten BMW sitzt, ein Off-Erzähler berichtet von Hans und So-
phie Scholl (Abb. 19 a). Nach einem harten Schnitt sehen wir eine weiße
Rose (Abb. 19 b), im Anschluss daran eine alte Schreibmaschine und zwei
Bilder, die während des Verhörs gemacht wurden. Die Szene endet mit
dem Zwischentitel »Kategorischer Imperativ« (Abb. 19 c), worauf eine
Zigarettenreklame folgt: »Test the West!«, auf der wiederum ein junges

Paar zu sehen ist – diesmal aber trägt die Frau ein Domina-Kostüm, während der Mann in locker gestyltem Outfit – schwarze Hose, weißes Hemd – ihr eine Zigarette anbietet (Abb. 19 d).

Schon in dieser kurzen Sequenz wird deutlich, dass das bestimmende Prinzip Godards das der intellektuellen Montage im Sinne von Eisenstein ist. Wer die deutsche Geschichte nicht kennt, kann mit den Bildern des Paares und der weißen Rose nichts anfangen. Erst im Wissen um die Widerstandsaktionen der Geschwister Scholl funktioniert beim Betrachter das intellektuelle Spiel mit Vergangenheit und Gegenwart. Insofern erhalten Farbe und Marke des Autos Bedeutung: Rot signalisiert Gefahr und der BMW-Stammsitz ist in München. München wiederum war die Heimat der »Weißen Rose«. Die Gegenüberstellung der Widerstandskämpfer mit dem Zeitgeist-Paar der Zigarettenreklame wird durch das Kant'sche Theorem vom kategorischen Imperativ ironisch kommentiert. Der Aufklärungsgedanke des kritischen Idealismus mündet in die lakonische Aufforderung der neunziger Jahre: »Test the West!« Das einfache Reklamebild erhält in der Kombination aller Informationen mehrere Deutungsebenen: die kulturpessimistische Auffassung vom Scheitern aufklärerischer Ideale, die tiefe Skepsis gegenüber der aktuellen deutsch-deutschen Geschichte, den Wertewandel in der jungen Generation vom politischen Engagement hin zur konsumorientierten Gesellschaft der neunziger Jahre.

Solche intellektuellen Assoziationsketten spielen in der heutigen Filmproduktion jedoch nur eine kleine, nebengeordnete Rolle. Das ist umso betrüblicher, als sie doch zeigen, mit welcher Ausdruckskraft Film erzählen kann – dass Film eben mehr ist als bloße Unterhaltungsware.

Unsichtbarer Schnitt

In der Regel soll im kommerziellen Film wie in der Fernsehserie die Aufmerksamkeit des Publikums vollständig auf den Inhalt der Geschichte, den Handlungsverlauf und die Charaktere gelenkt werden. Deshalb müssen all jene Aspekte des Films, die auf die technische Fertigung oder auf die Künstlichkeit der Filmwelt verweisen, unbemerkt bleiben. Die Zuschauerinnen und Zuschauer sollen sich ganz auf die Spannung konzentrieren, die von den dargestellten Konflikten ausgeht. Identifikation mit den dargestellten Figuren und Situationen und die damit einhergehende Emotionalisierung des Publikums sind die wichtigsten Ziele des kommerziellen Films. Jede technische Auffälligkeit würde von diesen Zielen wegführen. Die Tatsache, dass es sich beim Film um ein extrem synthetisches Medium handelt, das aus vielen technischen und gestalterischen Einzelelementen zusammengesetzt ist, soll zugunsten der Fiktion völlig in den Hintergrund treten.

Um diese störungsfreie Vermittlung einer Geschichte gewährleisten zu können, haben sich seit langem Konventionen filmischer Darstellung herausgebildet, die eine solche reibungsfreie (›unsichtbare‹) Vermittlung des Inhalts unterstützen. Diese Konventionen, die als ›klassischer Hollywood-Stil‹ bezeichnet werden, waren in ihren Grundmustern bereits in den dreißiger Jahren als dominante Erzählweise ausgeprägt. Die auch als *Continuity System* bekannten Grundregeln der Filmmontage werden von Bildgestaltung und Bildaufbau unterstützt. Sie erscheinen zunächst als selbstverständlich und werden erst bewusst als gemacht erkennbar, wenn gegen sie ›verstoßen‹ wird.

Szene

Der typische, konventionalisierte Ablauf einer ›unsichtbar‹ erzählten Szene lässt sich wie folgt beschreiben:

Zur Orientierung des Publikums wird der Film selbst oder eine neue Filmsequenz deutlich durch einen *Establishing Shot* eingeleitet. Üblicherweise ist dies die bildliche Vorstellung des Handlungsortes. Typisch wäre etwa die Ansicht einer Stadt (als Panorama-Aufnahme) oder eines Gebäudes (in der Totale), um den Handlungsort des dann folgenden Geschehens einzuführen. In der Regel dauern diese Einstellungen nur wenige Sekunden, da sie den eigentlichen Fortgang der Handlung nicht beeinflussen. Solche Establishing Shots haben starken Signalcharakter: Eine kurze Bildinformation reicht aus, um dem Publikum die Orientierung zu ermöglichen. Genau dies ist eines der wichtigsten Ziele der unsichtbaren Montage. Die Zuschauerinnen und Zuschauer müssen jederzeit wissen, wo sie sich in der erzählten Welt befinden. Jede Art der Verwirrung oder Unsicherheit würde sie aus der Handlung reißen und die Identifikationsangebote zerstören.

Dem Establishing Shot folgt in der Regel ein Umschnitt nach innen. Das Publikum konstruiert aus der Bildfolge außen – innen, dass sich die folgende Szene nun in dem Gebäude abspielt, das unmittelbar zuvor gezeigt wurde. Auch die erste Einstellung im Innenraum (*Master Shot*) dient der Orientierung. Um die räumlichen Verhältnisse hier deutlich zu machen, beginnt die konventionelle Szene mit einer Einstellung, die den Raum und die Personenkonstellation in einer Totalen oder Halbtotalen einfängt. Die Zuschauerinnen und Zuschauer können sich durch diese

Einstellung zunächst einen Überblick über den neuen Handlungsraum verschaffen. Häufig beginnt eine Szene mit dem Eintritt einer Figur in den Handlungsraum. Dieses theaterhafte Element bedeutet ebenfalls eine Rückversicherung für die Zuschauerinnen und Zuschauer: Sie haben noch keine wichtigen Informationen verpasst. Die geschilderte Situation bleibt nachvollziehbar.

Auch die so genannte 180°-Regel verdeutlicht dieses Ziel filmischer Darstellung und deren Verankerung in Theater-Konventionen. Trotz der potenziell unendlichen Bewegungsmöglichkeiten der Kamera innerhalb einer Szene wird immer eine räumliche Darstellung gewählt, bei der die Personen einen klar definierten Platz einnehmen. In einer durch Schnitte aufgelösten Sequenz werden keine Sprünge über die imaginäre Handlungsachse akzeptiert, es bleibt alles klar definiert: Die Kamera ist auf einer Seite des Geschehens positioniert (als Beobachter und Zuschauer) und die Figuren sind auf der anderen (die Personen als Akteure). Ein Positionswechsel im Raum wird gewöhnlich von den Figuren bestimmt, denen die Kamera folgt. Die Bewegungen der Kamera sind beim klassischen Hollywood-Stil fast immer von den Schauspielern oder von diegetischen Objekten (fahrende Autos etc.) motiviert. Die konventionelle szenische Auflösung verbietet jede ›Eigenständigkeit der Kamera‹. Sie bewegt sich fast nur für begleitende Schwenks oder Fahrten. Eine agierende Figur verlässt während eines Gesprächs den filmischen Raum nicht, die Kamera verfolgt jede ihrer Bewegungen. Läuft eine Person von links nach rechts, so bleibt sie immer im Bildmittelpunkt, während die Bewegung vor allem durch die sich ändernde Umgebung verdeutlicht wird. Durch solche Darstellungen wie auch durch inhaltlich motivierte Aktionen der Kamera (etwa das Umkreisen eines Liebespaares) kann der in einer Szene beschriebene Radius insgesamt 360° betragen, das heißt, der filmische Raum erscheint ›komplett‹. Solange die Kamerabewegungen die Positionswechsel im Raum verdeutlichen, bleibt die Orientierung schließlich erhalten. Bei der Auflösung einer Szene durch Schnitte müssen die im Master Shot etablierten räumlichen Verhältnisse allerdings gleich bleiben.

Das standardisierte Muster einer solchen Auflösung durch die Montage sieht im Anschluss an den Master Shot dann wie folgt aus:

In einer ersten Annäherung an die Protagonisten wird durch einen *Cut In* die Einstellungsgröße auf eine Amerikanische oder Halbnahe verkleinert, da jetzt, nach der Etablierung des Handlungsortes, zunehmend der Inhalt des Gesprächs, das die Protagonisten führen, in den Mittelpunkt des Interesses rückt. Nach dieser Annäherung an die Figuren folgt im weiteren Verlauf einer typischen Szene die Auflösung der Unterhaltung in *Schuss/Gegenschuss*-Aufnahmen (*Shot Reverse Shot*), etwa in halb-

20 a–c »Psycho« (USA 1960,
Alfred Hitchcock): Master Shot,
Schuss/Gegenschuss

nahen oder nahen Einstellungen. Dieser ständige Wechsel des Bildinhalts von Sprecher und Zuhörer bei einer Unterhaltung transportiert in der Regel die wichtigsten Informationen des Gesprächs, eventuell auch ›bedeutungsvolle Blickwechsel‹ oder Ähnliches. Das Schuss/Gegenschuss-Verfahren wahrt die filmische Kontinuität und einen gewissen impliziten Überblick trotz der starken Konzentration auf sprechende Personen. Durch die Blickrichtung der Abgebildeten bleibt das Gegenüber des Gesprächs immer präsent.

Die Bildfolge aus Alfred Hitchcocks *Psycho* (1960) verdeutlicht das: Wird im Master Shot eine Gesprächssituation eingefangen, bei der Person A links und Person B rechts im Bild zu sehen ist (Abb. 20 a), so bleibt dieses räumliche Verhältnis auch in den Nahaufnahmen deutlich. Person A wird dann gewöhnlich etwas links von der Bildmitte nach rechts blickend aufgenommen (Abb. 20 b), Person B entsprechend etwas rechts von der Bildmitte nach links blickend (Abb. 20 c).

Wenn wir annehmen, Person A ist etwas größer als Person B, so wird auch dieser Größenunterschied durch kleine Verschiebungen der Kameraposition in den Nahaufnahmen berücksicht, indem A (sehr) leicht untersichtig, Person B leicht aufsichtig gefilmt wird. Diese kaum merklichen Variationen werden vom Publikum nicht bewusst wahrgenommen, signalisieren aber durch ihren ›Andeutungscharakter‹ die nicht sichtbare größere Raumsituation.

Eine andere Möglichkeit der optischen Auflösung von Dialogen ist der *Over Shoulder Shot*. Hier wird ein Zwiegespräch so gezeigt, dass die Kamera das Gegenüber jeweils von der Seite ›anschneidet‹, das heißt, sie platziert sich hinter dem Zuhörenden und schaut ihm gewissermaßen ›über die Schulter‹. Die räumlichen Verhältnisse bleiben hier, trotz der Konzentration auf eine Person, immer präsent, wie die Einstellungsfolge aus Frank Beyers *Spur der Steine* (1965/66; nach dem gleichnamigen Roman von Erik Neutsch) belegt (Abb. 21 a und b).

Je nachdem, welchen Winkel die Kamera beim Over Shoulder Shot ein-
nimmt, können aber auch Reaktionen des Gegenübers durch diese Einstellung transportiert werden.

Trotz der beschriebenen Techniken wird es nach einer gewissen Anzahl
von Naheinstellungen notwendig, den Zuschauerinnen und Zuschauern
eine weitere Rückversicherung zu geben, dass sich an den äußeren Bedingungen von Szene und Schauplatz nichts geändert hat, mit anderen Worten: Das Publikum braucht die Information, dass es das Geschehen noch
überblickt. Diese Rückversicherung erhält es durch einen Schnitt zurück
auf eine raumgreifendere Einstellung (*Cut Back*), etwa auf die halbtotale
Position des Cut In oder die Totale des Master Shot. Oft ist hiermit eine
Positionsveränderung der Figuren im Raum verbunden – für die Inszenierung eines Dialogs ohnehin eine Notwendigkeit, um das Geschehen nicht
zu statisch werden zu lassen. In einer TV-Serie wie *Dallas* wird eine solche Rückbesinnung beispielsweise mit einem Schritt an die Hausbar motiviert, neue Gesprächspartner kommen hinzu oder andere Personen verlassen den Raum: All dies sind typische Motivationen für einen Cut Back.

Soll eine Szene beendet werden, so ist der Cut Back die ›klassische‹ Lö-
sung. Die Kamera entfernt sich von den Protagonisten, um die Szene ab-
zuschließen und um damit den Übergang zur nächsten vorzubereiten.

21a, b »Spur der Steine« (DDR 1965/66, Frank Beyer): Schuss/Gegenschuss-
Verfahren mit Over Shoulder Shot

Wird bei der beschriebenen konventionalisierten Szenenauflösung ausschließlich mit harten Schnitten gearbeitet, so finden sich bei einem Szenenwechsel häufig andere Einstellungskonjunktionen. *Auf-* und *Abblenden* sind zu Beginn oder als Abschluss einer größeren Erzähleinheit üblich. Die *Blende aus dem Schwarz* beziehungsweise in das schwarze Bild wird als ›grammatisches Zeichen‹ für ein neues Kapitel der Filmerzählung verstanden. *Überblendungen* dagegen, bei denen Bild A langsam von Bild B überlagert wird, gleichen eher einem ›Absatz‹ innerhalb eines Kapitels – um bei der Analogie zur Literatur zu bleiben.

Montagesequenz

Neben dem Darstellungsmodus der Szene, die in ›Echtzeit‹ Situationen der Geschichte wiedergibt (Erzählzeit = erzählte Zeit), hat sich im klassischen Hollywood-Stil ein anderes typisches Erzählmuster ausgeprägt: die *Montagesequenz*. In schneller Abfolge werden Bilder und Töne montiert, die einen größeren Zusammenhang darstellen. Hierbei kann man unterscheiden zwischen der zusammenfassenden und der beschreibenden Montagesequenz.

In der *beschreibenden Montagesequenz* sind Ansichten und Bilder nach dem Kriterium des ›Typischen‹ ausgewählt. Die Kombination von Bildern mit hohem Wiedererkennungswert soll eine Stimmung beschreiben oder eine Situation allgemeiner Art reflektieren. Beispielsweise könnten Ansichten des nächtlichen Großstadtlebens von New York folgendermaßen montiert werden: Leuchtreklamen am Broadway, Menschen auf der Straße, die sich amüsieren, Taxifahrer, Schlangen vor den Kinokassen, volle Restaurants, … Diese Bilder erzeugen in der Addition eine Beschreibung der Großstadt bei Nacht. Sie vermitteln einen Gesamteindruck und evozieren eine gewisse Stimmung beim Publikum. Solche

22 a–c »Du lebst noch 105 Minuten«
(USA 1948, Anatole Litvak):
Zusammenfassende Montagesequenz

Montagesequenzen erhalten auf der Tonebene zumeist eine musikalischen Klammer, die dem Publikum den Zusammenhalt der Einzelbilder verdeutlichen soll: Während die Ansichten schnell wechseln, signalisiert die Tonspur die Verbindung. Beschreibende Montagesequenzen können verschiedene Effekte haben: Sie dynamisieren eine allzu sehr auf Szenen und Dialog konzentrierte Handlung, haben aber ebenso die Funktion eines erweiterten Establishing Shot.

Im klassischen Hollywood-Stil dominiert jedoch die *zusammenfassende Montagesequenz*. Hier werden größere Handlungszusammenhänge oder Vorgänge, die nur schwer in dramaturgisch aufbereitete Szenen gefasst werden können, filmisch gestaltet. Solche Sequenzen haben eine narrative Funktion, sie geben eine Handlung wieder oder bringen die Handlung voran. Als ein Beispiel kann etwa die Zusammenfassung einer großen Reise gelten, wie sie in dem Thriller *Du lebst noch 105 Minuten* (1948) gezeigt wird – einem typischen Hollywoodfilm der klassischen Periode. Die Hochzeitsreise eines Paares durch Europa wird in allgemein gültigen Bildern zusammengefasst, musikalisch untermalt und geklammert durch den Hochzeitsmarsch in mehreren Variationen. Wir sehen im Einzelnen folgende Einstellungen:

1. *Groß* Rauchender Schornstein und Schiffshorn.
2. *Totale* Ein ablegender Ozeandampfer (winkende Zurückbleibende am Hafen).
3. *Halbnah* Das Paar (Leona und Henry) auf Deck bei der Abfahrt.
4. *Totale* Schiff verlässt den Hafen von New York (passiert die Freiheitsstatue).
5. *Totale* Trafalgar Square, London (Abwärtsschwenk an Nelson's Column).
6. *Halbtotale* Das Paar auf den nebligen Straßen Londons (im Hintergrund ein Doppeldeckerbus).

7. *Totale* Eine Skipiste.
8. *Halbnah* Leona im dicken Pullover, schaut nach unten und winkt (im Hintergrund eine schneebedeckte Berghütte).
9. *Halbnah* Henry, beim Skifahren, blickt nach oben und lächelt.
10. *Totale* Venedig.
11. *Halbnah* Henry fotografiert Leona mit einer Taube in der Hand, umringt von anderen Tauben.
12. *Nah* Beide im Auto in Paris, im Hintergrund der Arc de Triomphe.
13. *Halbnah* (Innen) Beginn der nächsten Szene, durch das Fenster ist der Eifelturm zu sehen.

In den 45 Sekunden dieser Montagesequenz ist die vorherrschende Einstellungskonjunktion die Überblendung, die jeweils als ›filmgrammatisches Zeichen‹ für einen Zeitsprung und einen Ortswechsel verwendet wird. Lediglich ein einziger harter Schnitt ist zu verzeichnen: Wenn die Frau ihrem Mann zuwinkt und er beim Skifahren darauf reagiert (Einstellungen 8, 9), wird konsequenterweise nicht überblendet. Bei der Abfolge dieser Einstellungen handelt es sich nicht um eine zeitliche Auslassung oder einen weiteren Ortswechsel, demnach wird hier nach dem Schuss/Gegenschuss-Schema Nahaufnahme an Nahaufnahme geschnitten.

Alle anderen Einstellungen werden ineinander geblendet. Dabei macht die Sequenz besonders deutlich, wie wichtig bei der Auswahl beziehungsweise der Inszenierung der einzelnen Bilder das Element des ›Typischen‹ ist: London: Trafalgar Square, Nebel, Doppeldecker; Wintersport: Piste, Pullover, Skistöcke, Berghütte; Venedig: Markusplatz, Tauben etc. Jedes Bild für sich genommen hat bereits starken Signalcharakter und bedient sich der gängigen Touristenklischees. In der Abfolge eines neunzigminütigen Films, bei dem 45 Sekunden zur Schilderung einer Europareise ausreichen müssen, hat eine solche plakative Redundanz allerdings eine wichtige Funktion. Die Reise ist nur Partikel in einem größeren Erzählfluss, der durch die Montagesequenz ein wenig verlangsamt wird, bevor die nächste dramatische Szene folgt. Die Reihung von Postkartenansichten ist nicht einfach nur eine Ansammlung von Klischees, sondern eine dramaturgische Notwendigkeit. Soll die Aufmerksamkeit des Publikums doch nicht allzu sehr durch das Interpretieren mehrdeutiger Bilder vom zentralen Konflikt (der zwischen den Eheleuten entsteht) abgelenkt werden. Auch bei der zusammenfassenden Montagesequenz stehen also wieder die mühelose Vermittlung der Handlung und die emotionale Einbindung des Publikums im Vordergrund. Jede Ambivalenz wird vermieden.

Formen des Schnitts

Das für den Hollywood-Stil charakteristische Bemühen, möglichst flüssig und nachvollziehbar zu erzählen, lässt sich an der Montagetechnik besonders deutlich erkennen. Jeder Schnitt, jeder Einstellungswechsel soll motiviert sein und möglichst als die logische narrative Folge der vorhergehenden Einstellung erscheinen. So werden konsistente Raum- und Zeitverhältnisse ›hergestellt‹, die ›erzählte Welt‹ sieht komplett und einheitlich aus. Dem Publikum wird beispielsweise nicht bewusst, dass eine als Establishing Shot eingesetzte Außenaufnahme aus Archivmaterial verwendet wurde, während die erste Inneneinstellung im Studio an einem anderen Ort, zu einer ganz anderen Zeit entstanden ist. Die Montageregeln des unsichtbaren Erzählens tragen dabei genauso zum Gelingen der Fiktion bei wie der Vorsatz des Publikums, sich der Illusion einer kohärenten Erzählung auszusetzen, das heißt, das ›Spiel der Fiktion‹ mitzuspielen.

Match Cut

Als ein besonders elegantes technisch-narratives Mittel, von einer Sequenz zur nächsten überzuleiten, gilt der *Match Cut*. Bei dieser Schnittfolge werden zwei räumlich und/oder zeitlich getrennte Einstellungen miteinander verbunden, indem durch eine visuelle Parallele im Bild (ein Objekt) oder eine Bewegung (der Kamera oder eines Objektes im Bild) Entsprechungen oder Ähnlichkeiten hervorgehoben werden. Der Match Cut hat somit einen doppelten Effekt: Zum einen überspringt man Raum- oder Zeitbarrieren, zum anderen kann aber durch die Wiederaufnahme einzelner Bildelemente deutlich gemacht werden, dass zwischen den unterschiedlichen Sequenzen der Handlung Gemeinsamkeiten bestehen. Das gemeinsame Bildelement (*Matching Element*) deutet eine inhaltliche Verbindung an.

Ein Film, bei dem es geradezu erforderlich ist, mit den Übergängen zwischen Raum- und Zeitebenen zu experimentieren und gleitende Verbindungen zu schaffen, ist sicherlich Russell Mulcahys *Highlander* (1986). Die Fantasy-Geschichte handelt schließlich von den Abenteuern eines Unsterblichen zwischen dem schottischen Mittelalter und dem New York der Gegenwart. Die verschiedenen Ebenen werden immer wieder durch Match Cuts (motivischer oder technischer Art) miteinander verwoben: In einer Tiefgarage in New York fährt die Kamera langsam nach oben, bewegt sich (scheinbar) durch die Decke, fährt weiter aufwärts und kommt schließlich hinter einem Hügel in Schottland hervor, wo sie eine Landschaft in der Totalen einfängt.

Solche technischen Match Cuts entstehen heute längst nicht mehr am Schneidetisch, vielmehr werden sie zunehmend mithilfe des Computers realisiert. In den neunziger Jahren sind flüssige Bildanschlüsse und scheinbar endlose oder ›unmögliche‹ Kamerafahrten durch die Manipulationen der digitalen Bildbearbeitung immer häufiger zu sehen.

Ein exzessiver Gebrauch virtueller Bilder und computersimulierter Bewegung ist vor allem in der Musik- und Werbeclipästhetik zu beobachten. Im traditionellen Spielfilm sind solche Techniken eher selten, wohl vor allem, weil sie zwar interessante und attraktive optische Effekte erzeugen, ihr narratives oder dramaturgisches Potential jedoch noch nicht ausgelotet ist (↗ Film im Multimediazeitalter, S. 141–144).

Jump Cut

Als eine Art Gegenprinzip zum flüssig-eleganten Match Cut wird häufig der *Jump Cut* angesehen. ›Jump Cut‹ bezeichnet verschiedene technisch-gestalterische Vorgänge, die aber allesamt als Effekt die Störung des als kontinuierlich wahrgenommenen Filmerlebens beabsichtigen. So wird beispielsweise aus einer durchgängig abgefilmten Bewegung ein Teilstück herausgeschnitten mit dem Ergebnis, dass der Bildinhalt ›springt‹: Die Abfolge der Bewegung wirkt aufgesplittert und ruckhaft. *Außer Atem* (1959) von Jean-Luc Godard ist das bekannteste Exempel einer solchen verwirrenden Montage. Doch der Begriff wird auch noch für andere ›Regelverletzungen‹ gebraucht, etwa den unvermittelten Übergang von einer Schuss/Gegenschuss-Sequenz in eine andere, in der eine Person C plötzlich auf eine Frage zu antworten scheint, die in der vorhergehenden Einstellung von Person A an Person B gerichtet wurde.

Aus dieser Beschreibung ist schon ersichtlich, dass der Jump Cut für das Continuity System kein typisches Muster ist, da er sich ja gerade gegen die Standards und Ziele dieser Montage wendet. In klassisch erzählten Filmen kann die Form des diskontinuierlichen Schnitts jedoch als kalkulierter, das heißt dramaturgisch beabsichtigter Effekt vorkommen, etwa bei der Darstellung von Schockmomenten, Träumen, Alpträumen, Phantasien oder Rauschzuständen.

Parallelmontage

Nicht nur im Zusammenhang einzelner Einstellungen werden durch die Montage Symmetrien und Beziehungen verdeutlicht, auch bei größeren Handlungsstrecken kann der Film Parallelen zwischen unterschiedlichen Orten oder Zeiten konstruieren. In der Parallelmontage wechseln sich zwei oder mehr Handlungsebenen ständig ab, sodass sie vom Publikum in Verbindung gebracht werden. Verschiedene Ereignisse werden scheinbar simultan geschildert (↗ Anfänge der Montage, S. 61–63).

Im erzählenden Film wird die Parallelmontage häufig zur Erzeugung von Spannung eingesetzt, wobei die verschiedenen narrativen Stränge aufeinander zulaufen, um sich dann in einem gemeinsamen Spannungshöhepunkt zu entladen. Das vielleicht prominenteste Beispiel ist die Verfolgungsjagd mit dem ständigen Wechsel zwischen Jäger und Gejagtem, bis es schließlich zu einer Auflösung kommt (der Verfolgte wird gestellt). Ein anderes mustergültiges Beispiel für eine Parallelmontage zeigt Steven Spielberg in seinem Dinosaurier-Spektakel *Jurassic Park*:

Um die Sicherheitszäune des außer Kontrolle geratenen Parks wieder unter Strom zu setzen, geht die Forscherin Ellie Sattler in den Keller mit den Versorgungsleitungen. Über Funk ist sie mit Dr. Malcolm, einem weiteren Forscher, und John Hammond, dem Gründer des Parks, verbunden. Sie wollen ihr den Weg zum Sicherungssystem weisen. Zur gleichen Zeit erreichen Dr. Grant und zwei Kinder den Sicherheitszaun des Parks. Nachdem Grant sich vergewissert hat, dass der Zaun nicht unter Strom steht, machen sich die drei daran, ihn zu überklettern.

Die Parallelmontage zeigt nun drei Handlungen, die zur gleichen Zeit an drei verschiedenen Orten stattfinden und kausal miteinander verbunden sind: Hammond und Malcolm, die per Funk Anweisungen geben, wie der Strom wieder anzustellen ist; Ellie, die den Anweisungen folgt und die Anlage bedient, und Grant mit den Kindern, die über den Zaun klettern.

In den 4 Minuten der Parallelmontage wird zwischen den drei Handlungsorten insgesamt 27-mal hin- und hergeschnitten (*Cross Cutting*). Im Folgenden wird der Versuch unternommen, die drei Handlungsstränge in der Verschriftlichung so wiederzugeben, dass sie der Struktur einer Parallelmontage entspricht. Jedes Handlungssegment schließt mit der Längenangabe in Sekunden.

| Versorgungshaus (Abb. 23 a) | Einsatzzentrale (Abb. 23 b) | Park (Abb. 23 c) |

Versorgungshaus
(Abb. 23 a)

Einsatzzentrale
(Abb. 23 b)

Park
(Abb. 23 c)

1. Ellie betritt das Versorgungshaus. Sie steht im Dunkeln vor einer Treppe, die nach unten führt. Sie meldet sich per Funk bei Hammond. (14″)

2. Hammond und Malcolm mit dem Plan des Versorgungshauses, sie beschreiben per Funk den Weg. (15″)

3. Grant und die Kinder (Tim und Lex) kommen auf den Zaun zu. Die Kamera fährt über ihn hinweg auf die sichere Seite des Parks. Wir lesen das Schild mit der Aufschrift: »DANGER. 100 000 Volts«. Grant prüft, ob der Zaun unter Spannung steht. Nachdem er sie ›zum Spaß‹ hereinlegt, indem er so tut, als ob er elektrisiert wurde, wird es schnell wieder ernst: Im Hintergrund ist das Brüllen eines Dinosauriers zu hören. Alle fangen an zu klettern. (62″)

4. Ellie mit Taschenlampe im Keller des Hauses. Sie ist in eine Sackgasse gelaufen. (6″)

23 a–c »Jurassic Park« (USA 1993,
Steven Spielberg): Parallelmontage

5. Hammond ist unsicher,
was zu tun ist, Malcolm
nimmt ihm das Sprechge-
rät aus der Hand und gibt
genaue Instruktionen. (8″)

6. Ellie folgt den Instruktionen. (4″)

7. Malcolm wie in 5. (1″)

8. Ellie folgt dem Haupt-
kabel an der Decke. (3″)

9. Grant und die Kinder
beim Überklettern des
Zauns. (10″)

10. Ellie findet den Hoch-
spannungsraum (»High
Voltage«). (14″)

11. Die drei haben den
Scheitelpunkt des Zaunes
erreicht und wechseln auf
die andere Seite (die Ka-
mera zeigt das in Unter-
sicht: sie wechselt mühe-
los die Seiten). (12″)

12. Hammond erklärt,
wie kompliziert es ist, den
Strom wieder einzu-
schalten. (9″)

13. Ellie betätigt den
Hauptschalter. (11″)

14. Hammond beschreibt
den nächsten Schritt. (6″)

15. Ellie tut, was er
sagt. (4″)

16. Hammonds Instruk-
tionen (»Knopf
drücken«). (2″)

17. Ellie folgt. (4″)

18. Am Zaun ertönt ein
Warnsignal. Grant und

Lex sind inzwischen auf sicherem Boden, Tim hängt noch ängstlich oben am Zaun. (8″)

19. Hammond erklärt, wie die einzelnen Systeme des Parks wieder in Betrieb gesetzt werden können. (7″)

20. Ellie beginnt eine lange Reihe von Schaltern (von oben nach unten) zu drücken. Die Kamera löst sich von ihrer Hand und fährt schnell auf den letzten Schalter der Reihe, beschriftet mit »Perimeter Fence«. (10″)

21. Grant und Lex rufen Tim aufgeregt zu, er solle springen. Er zögert. (11″)

22. Ellie beim Drücken der Schalter. (2″)

23. Tim zögert. Er will bis drei zählen und dann springen. (5″)

24. Ellie beim Betätigen der Schalterreihe. Es sind noch drei übrig. (1″)

25. Grant will Tim holen. (1″)

26. Ellie drückt den letzten Schalter – Schnitt beim letzten Knopf. (2″)

27. Tim zählt (zu) langsam: »Zwei.« Funken schlagen, er wird vom Zaun geschleudert. (14″)

Durch die Parallelmontage werden gleich mehrere Spannungsmomente erzeugt, die die Zuschauerinnen und Zuschauer in ein komplexes Netz aus Informationsvorsprung und Informationsdefizit zu den Protagonisten einbinden. Typisch ist zunächst die zunehmende Beschleunigung des Erzähltempos in dieser Sequenz. Zwischen den Bemühungen Ellies, das ausgefallene System wieder in Gang zu setzen, und der zögerlichen Kletterpartie Tims entsteht eine Art Wettlauf: Wem gelingt es zuerst, das angestrebte Ziel zu erreichen? Bis zur 18. Einstellung wissen beide Seiten nichts voneinander: Ellie ist bemüht, die Sicherheit im Park wiederherzustellen; Dr. Grant und die Kinder versuchen, sich vor den Dinosauriern zu retten. Dass Ellies Aktion die der anderen gefährdet, weiß nur das Publikum, dem beide simultan ablaufenden Handlungen im ständigen Wechsel gezeigt werden. Für das Publikum entsteht dadurch eine andere Spannung als für die Protagonisten, durch die Parallelmontage weiß es mehr als beide Seiten. Ab Einstellung 18 wird dieser Vorsprung aufgehoben, da die Signallampe Alarm gibt und die Flüchtenden gewarnt sind. Jetzt treten andere Spannungsmomente in den Vordergrund: Wird Tim es schaffen, vom Zaun rechtzeitig herunterzuklettern? Um diese Frage offen zu halten, verweigert Spielberg zunächst eine wichtige Information, nämlich welcher der zahlreichen Hebel und Knöpfe, die Ellie zu betätigen hat, der für den Starkstrom am Zaun ist. Hammonds umständliche Erklärungen verschleiern und verzögern den Vorgang zusätzlich. Zunächst muss Ellie einen Hauptschalter betätigen (Einstellung 11), dann wird sie angewiesen, einen ›großen runden Knopf‹ zu drücken (14, 15), schließlich beginnt sie, eine lange Schalterreihe nacheinander zu betätigen. Bei keiner dieser Vorgänge wird ihr oder dem Publikum mitgeteilt, ob es vielleicht der entscheidende ist. Erst in Einstellung 20 ist diese dramaturgische Verzögerungstaktik Spielbergs ausgereizt, jetzt löst sich die Kamera von Ellies Bewegungen, um auf den wichtigen Knopf am Ende der Schalterreihe hinzuweisen. Dadurch entsteht für uns eine Art Countdown: Unaufhaltsam nähert sich die Hand dem Schalter (20, 22, 24). Parallel dazu sehen wir, wie der am Zaun hängende Tim seinen Entschluss fasst: »Ich zähle bis drei. Dann springe ich.« Erst bei Einstellung 27 wird deutlich, dass Tims Countdown einen Zähler zu spät einsetzt, um dem Stromschlag zu entkommen. Bei seinem »zwei« hat Ellie das Ende der Schalterreihe erreicht, Tim wird durch einen Schlag vom Zaun geworfen.

In diesem Bild erreicht die Parallelmontage ihren Höhepunkt, sie führt die parallel erzählten und gezeigten Handlungsstränge endgültig zusammen. Bis dahin war eine kontinuierliche Temposteigerung zwischen den Ebenen ›Versorgungshaus‹ und ›Park‹ festzustellen, die sich im Weiteren wieder verlangsamen wird und sich auf neue Spannungsmomente konzentriert: Ellie wird im Versorgungshaus von einem Dinosaurier bedroht, im Park geht es zunächst um die Frage, ob Tim ernsthaft verletzt ist.

Neben den Aspekten der Zuschauerinformation und des Timings zeigt auch die Verwendung der Einstellungsgrößen ein konventionelles Muster. Mit zunehmender Dramatik verengt sich der Bildraum immer mehr. Sind in den ersten Einstellungen (1–10) Totalen und Halbtotalen vorherrschend, so werden gegen Ende nur noch Nah-, Groß- und Detailaufnahmen verwendet. Überflüssige Bildinformationen bleiben ausgespart, allein die Anspannung auf den Gesichtern und signifikante Details (Schalter) werden ins Bild gerückt. Da sich die Montage immer mehr auf das Wesentliche konzentriert, fällt der Erzählstrang ›Einsatzzentrale‹ gegen Ende der Sequenz ganz weg, da er hier keine dramaturgische, das heißt keine spannungssteigernde Funktion mehr erfüllt.

Plansequenz

Als eine besondere Alternative zur konventionellen filmischen Auflösung einer Handlung durch Schnitte gilt die *Plansequenz*. Sie ist durch eine überdurchschnittlich lange Dauer definiert und durch die relative Kompliziertheit der Kameraoperationen zu ihrer Realisierung.

Der Verzicht auf Schnitte innerhalb eines Handlungssegments bedeutet für die Dreharbeiten besondere Vorbereitungen. Im Laufe der Plansequenz können sich die Bildinhalte fortwährend verändern: Personen ändern ihren Standpunkt oder bewegen sich durch mehrere Räume mit unterschiedlichen Lichtverhältnissen. Die Handlung kann beispielsweise Wechsel der Einstellungsgrößen zwischen Großaufnahmen und Totalen nötig machen oder sie kann von Innenräumen nach außen wechseln und damit eine völlig neue Umgebung einbeziehen. Insgesamt muss also das Geschehen vor und mit der Kamera genau choreografiert werden, da nicht – wie bei der szenischen Auflösung durch Schnitte – jede neue Situation auch neu eingerichtet werden kann. Der Planungsaufwand ist also enorm.

Für den französischen Filmkritiker und Theoretiker André Bazin galt die Arbeit mit langen Einstellungen, häufig verbunden mit Tiefenschärfe-Aufnahmen, als ›Realismus‹. Bazin verstand den Verzicht auf Schnitte zugleich als Verzicht auf die Manipulationsmöglichkeiten des Films. Dieser ästhetische Standpunkt ist heute schwer nachvollziehbar, sind Filmbilder (zumal von Spielfilmen) doch immer Ergebnis der Inszenierung und der Manipulation. Auch – und gerade – innerhalb der langen Einstellung einer Plansequenz wird das Element der Inszenierung immer deutlich, wie Max Ophüls in der Eröffnungssequenz seiner Adaption von Arthur Schnitzlers Szenenfolge *Reigen* (e. 1896/97; als Film u. d. T. *Der Reigen*, 1950) beweist. Ein Erzähler spricht zum Publikum, er schlendert dabei durch ein Filmstudio, bis er vor der Kulisse der ersten Szene ankommt und die Handlung eröffnet. In einer einzigen langen Einstellung etabliert und decouvriert Ophüls die fiktive Welt des Films. Die Plansequenz enthüllt die Fiktion als Produktion und bietet sie dem Publikum damit bewusst als ein Spiel an.

Eines der bemerkenswertesten Experimente in dieser Hinsicht ist Alfred Hitchcocks *Cocktail für eine Leiche* (1948). Der Film wirkt, als sei er in nur einer einzigen achtzigminütigen Einstellung gedreht worden. Technisch war das allerdings gar nicht möglich, da die Filmrolle in der Kamera nach zehn Minuten durchgelaufen war und gewechselt werden musste. Also wurden jeweils zehnminütige Einstellungen gedreht, die man immer dann aneinander fügte, wenn eine Person nah an der Kamera vorbeilief und das Bild für einen kurzen Augenblick schwarz wurde. Hitchcock nannte den Film, bei dem Erzählzeit und erzählte Zeit zwangsläufig identisch sind, einen »verzeihlichen Versuch«. Bis heute ist es – abgesehen vom Bereich des Experimentalfilms – bei diesem einen Versuch geblieben, über eine gesamte Spielfilmlänge auf jeden Schnitt zu verzichten.

Als ein Gestaltungsmittel unter anderen wird die Plansequenz jedoch immer wieder eingesetzt. Mit zunehmend ausgereifterer Technik (kleine, mobile Kamerasysteme, verwackelungsfreie Bilder mit Steadicam) werden die Plansequenzen moderner Filme sogar immer spektakulärer. Nicht selten allerdings scheint dabei der Schauwert langer und komplexer Plansequenzen inhaltliche Aspekte zu überlagern.

Eine dramaturgische und erzählerische Funktion kann eine Plansequenz besonders am Anfang eines Films erfüllen, wie sich am Beispiel von Brian De Palmas *Fegefeuer der Eitelkeiten* (1990) zeigen lässt:

Der Journalist Peter Fallow wird beim Eintreffen seines Wagens in einer Tiefgarage von einer aufgeregten Journalistengruppe erwartet. Eine unentwegt daherredende Organisatorin begrüßt den schwer alkoholisierten Fallow (Abb. 24a) und macht sich mit ihm auf den Weg zu einem offensichtlich großen, festlichen Ereignis irgendwo in einem der oberen Stockwerke. Aus den hektischen Sprachfetzen, die Fallow im Folgenden umgeben, wird schnell klar, dass er im Mittelpunkt des Abends stehen soll. Auf seinem Weg durch das Tunnelsystem im Keller des Gebäudes, im Aufzug über mehrere Etagen und auf den von ihm torkelnd zurückgelegten Wegen über endlose Flure verfolgt ihn die Kamera, teils vor ihm (Abb. 24b), teils hinter ihm fahrend, durch das chaotische Treiben. Sie zeigt die allgemeine Aufregung auf allen Gängen und das Gezerre an Fallow, dem sogar im Laufen noch ein neues Oberhemd übergestreift wird (Abb. 24c). Nach mehr als drei Minuten, wir haben inzwischen genügend Gelegenheit bekommen, uns an die wirre Situation zu gewöhnen und das apathisch-arrogante Verhalten der Hauptfigur kennen zu lernen, setzt als Voice Over ein erläuternder Kommentar Fallows ein (»Also gut, es kann losgehen […].«). Durch die Ich-Erzählstimme erfahren wir, dass Fallows Buch, das bei der Veranstaltung vorgestellt werden soll, seinen Auslöser »vor etwas mehr als einem Jahr« hatte. Erst jetzt, Fallow steht bei diesen Worten inzwischen auf einer großen Bühne (Abb. 24d), folgt der erste Schnitt.

Die Eröffnungseinstellung des Films dauert 4 Minuten und 42 Sekun-

24 a–d »Fegefeuer der Eitelkeiten« (USA 1990, Brian De Palma):
Verschiedene Stationen einer Plansequenz

den! Die Plansequenz ist somit als ein Prolog zu verstehen, der uns Zu-schauende ohne filmisches Interpunktionszeichen in die Handlung hin-einziehen will. Wahrnehmungspsychologisch wird uns durch die lang andauernde und fließende Bewegung der Kamera die Möglichkeit ver-weigert, den Blick abzuwenden. Es fällt regelrecht schwer, sich dem Bil-derfluss zu entziehen. Andauernd eröffnet dieselbe Einstellung neue Per-spektiven und Ansichten. Dabei erfahren wir immer etwas mehr, was uns die dargestellte Situation nach und nach verstehen lässt. Ähnlich wie der Protagonist von den aufgeregten Veranstaltern des Abends zu seinem Auftritt halb geführt und halb gezerrt wird, werden wir von der Kamera durch das Geschehen geleitet. Die Plansequenz fesselt unseren Blick, während wir gleichzeitig in die Fiktion eingeführt werden. Ziel ist es, das Publikum am Ende dieser langen Einstellung schon so weit in die fiktive Welt verstrickt zu haben, dass es der Handlung dann gespannt folgt.

Eine ähnliche Funktion erfüllt auch die Plansequenz am Anfang von Robert Altmans Hollywood-Satire *The Player* (1992). Siebeneinhalb Mi-nuten bewegt sich die Kamera über ein Studiogelände in Hollywood. Sie verfolgt einzelne Personen, nähert sich ihnen, belauscht Gespräche, ent-fernt sich wieder, um für einige Zeit anderen Figuren zu folgen. Dabei entsteht durch die verschiedenen Gesprächsfetzen gleichfalls eine Art Einleitung oder Prolog. Altman bereitet das Publikum auf eine zynische

Gesamtschau des kommerziellen Filmgeschäfts vor. Die Qualität der Plansequenz als Reflexion über das Filmemachen wird um noch ein Element ergänzt. Mehrmals erscheint in der Einleitung ein Mann mit dunkler Sonnenbrille im Blickfeld, der von der wohl berühmtesten Plansequenz der Filmgeschichte, dem Anfang von Orson Welles' *Im Zeichen des Bösen* (1958) schwärmt. Er bedauert, dass es so etwas heute nicht mehr gibt: »Die Filme heutzutage sehen alle wie MTV aus. Schnitt, Schnitt, Schnitt, Schnitt.« – und dabei befindet sich der so Räsonierende inmitten einer noch längeren Plansequenz!

Schnitt im Zeitalter des Videoclips

In den letzten Jahren haben sich die Schnittfrequenzen dramatisch beschleunigt. Was vor zehn Jahren noch als rasant montiertes Actionspektakel galt, wirkt heute schon behäbig inszeniert, wie sich am Beispiel von *Indiana Jones und der Tempel des Todes* (1983) nachvollziehen lässt.

Selbstverständlich ist die Zahl der Einstellungen eines Films abhängig von der Gattung – Actionfilme sind schneller geschnitten als Dokumentarfilme –, trotzdem galten bis in die siebziger Jahre für einen neunzigminütigen Spielfilm als Orientierungsgröße 700–1 000 Einstellungswechsel (↗ Einstellung, S. 13). Dabei gab es immer auch Filme, die einen wesentlich langsameren Schnittrhythmus aufweisen. *Fontane Effi Briest* (1974) von Rainer Werner Fassbinder bringt es gerade mal auf 277 Einstellungen in 140 Minuten!

Diese langsamen und oft auch stilisierten Filme sind heutzutage aus dem Kinoalltag verdrängt. Erreichten sie in den Jahren ihrer Erstaufführung gerade auch wegen der langen Einstellungen und des ruhigen Erzählduktus ein Millionenpublikum, wäre ihnen heute sicherlich kein kommerzieller Erfolg an den Kinokassen beschieden. In Zeiten, in denen Filme wie *Terminator* 2 und *Natural Born Killers* auf eine Verweildauer von zirka 2 Sekunden pro Bild kommen, bleibt für das Gegenmodell kein Platz – noch jedenfalls. Denn die Stimmen derer, die eine Umkehr vom rasanten Schnitt prophezeien, mehren sich gerade angesichts der Tatsache, dass die Rezeptionsfähigkeit proportional zur Schnittfrequenz abnimmt.

In der Praxis zeigt es sich immer wieder, dass ältere Generationen nicht mehr in der Lage sind, der Montagegeschwindigkeit zu folgen. Anders Kinder und Jugendliche, die in ihrer Bilderwahrnehmung durch Film und Fernsehen sozialisiert worden sind. Dass sie in der Regel schneller sehen können als ältere Erwachsene, kann man gerade bei der Analyse von Videoclips im Unterricht erleben. Diese Fähigkeit machen sich Produzenten von Werbespots zu nutze. Im Gegensatz zum bieder erzählten Clip von der Hausfrau, die von ihrem Gewissen zum Kauf eines anderen Waschmittels ermahnt wird, zeichnen sich Werbespots, die sich beispielsweise an die ›Computerkids‹ richten, oftmals durch eine verschachtelte, mehrere Erzählebenen beinhaltende und ungemein schnell geschnittene Inszenierung aus. Das Geheimnis beziehungsweise die Attraktivität dieser Spots liegt gerade in der Tatsache, dass sie den Rezipienten innerhalb weniger Sekunden mit einer Bilderflut und einer Informationsmenge konfrontieren, die in der Kürze der Zeit nicht sofort eindeutig zu entschlüsseln sind. Bei der traditionellen Waschmittelwerbung ist nach einmaligem Sehen klar, was diese Werbung will: Inhalt, Ästhetik und Intention sind schnell zu rekonstruieren. Nicht so bei den ›angesagten‹ Werbungen für Computerspiele.

Die Firma Sega brachte Ende 1995 eine neue Computerspielkonsole auf den Markt. Der Werbeclip zu diesem Produkt dauert 29 Sekunden und enthält 43 Einstellungen und einige Überblendungen. Das eigentliche Produkt ist nur eine halbe Sekunde zu sehen. Dieser Spot erzählt eine komplexe Geschichte, die auf mehreren Realitätsebenen spielt: Vor der Kulisse einer postapokalyptischen Welt testet ein Android [Roboter in Menschengestalt] ein Computerspiel (Autorennen). Seine Aufgabe besteht darin, »die Spiele [sic!] *fertig* zu machen« – wie es heißt –, wobei sich die semantische Bedeutung von ›Fertigmachen‹ erst am Ende des Clips erschließt. Wird zunächst der Eindruck erweckt, der Android sei ein Spieletester, der die Produkte fertig stellt, so erweist er sich letztlich als jemand, der die Spiele und Spielfiguren völlig besiegt beziehungsweise körperlich erledigt, indem er das Rennauto mit dem Fahrer per Joystick gegen eine Wand steuert und zerstört.

Die Handlung wechselt ständig zwischen der Welt des Spielers und der Welt des Computerspiels, wobei innerhalb der Computerspiel-Welt zusätzlich zwischen animierten Trickszenen und realen Szenen eines ›menschlichen‹ Rennfahrers in einem ›richtigen‹ Rennauto hin- und hergeschnitten wird. Unterlegt ist diese Kurzgeschichte mit hämmernder Techno-Musik. Die Bildästhetik entstammt dem Halbdunkel von Sciencefiction-Filmen wie *Blade Runner* oder den *Mad-Max-* (1978/85) und *Alien*-Reihen (1979/97), die wiederum in der Traditon des Film noir stehen. (Abb. 25 a–f)

Ohne auf den Spot im Detail einzugehen, kann man an ihm doch beispielhaft die wichtigsten Prinzipien der Videoclipästhetik festmachen: Die Montagetechnik – pro Bild weniger als eine Sekunde – in Verbindung mit der Dramaturgie mehrerer Handlungsebenen verhindert eine voll-

25 a–f Werbespot der Firma Sega Saturn (1995): Mit einer extrem hohen Schnittfrequenz wird eine komplexe Sciencefiction-Geschichte über Realität und Virtualität, Mensch und Maschine erzählt.

ständige Deutung nach dem ersten Sehen; das heißt, sie fordert geradezu heraus, den Spot mehrfach anzusehen. Die unvollständige Rezeption und der daraus resultierende Wunsch des Adressatenkreises nach wiederholtem Sehen ist natürlich beabsichtigtes Produzentenkalkül. Der Spot lief denn auch mehrmals während des Nachmittags auf den Kanälen des Privatfernsehens. Durch seine zahlreichen visuellen und akustischen Attraktionen verhindert er unerwünschtes Wegzappen. Die Inhalte des Clips knüpfen an (medial vermittelte) Erlebniswelten des Zielpublikums an. Androiden zählen zum festen Inventar der Cyberspace-Literatur, der zeitgenössischen Kino- und Videofilme sowie der Computerspiele. Der Wechsel zwischen Spielfiktion und Wirklichkeit gehört ebenfalls zu den Betätigungsfeldern der ›Computerkids‹.

Die Inszenierung greift bekannte filmische und literarische Muster auf (hier die Postapokalypse und das Augenmotiv aus der Märchen- und Sagenwelt) und gestaltet die Einzelbilder unter dem Aspekt des größtmöglichen Effekts: extreme Kameraperspektiven, schnelle Bewegungen vor und mit der Kamera, schneller Wechsel von Detail-, Nah- und halbtotalen Einstellungen, ikonographische Verweise (z. B. Kreuz- und Farbsymbolik oder Märtyrerbild: Abb. 25 f).

Allen Werbeclips ist die Etablierung einer Welt gemeinsam, die sich ganz nah an der tatsächlichen Erlebniswelt (oder zumindest deren Projektion) orientiert. Dabei kommt es weniger darauf an, das Produkt permanent einzublenden (*Packshot*), wie es bei der so genannten Informationswerbung der Fall ist, als vielmehr darauf, durch das Gesamtdesign der einzelnen Werbeclips eine eigene Firmenhandschrift (›Corporate Identity‹) zu entwickeln, die beim Rezipienten auch bei weiteren Werbeaktionen (›Expansionswerbung‹) einen Wiedererkennungseffekt auslöst. Diese Handschrift haben beispielsweise die führenden Turnschuh-Firmen Nike, Adidas und Puma, aber auch das Bekleidungshaus C&A mustergültig entwickelt. Im Gegensatz zur ›Informationswerbung‹ (Waschmittel) spricht man hier von ›Suggestivwerbung‹.

Das vorherrschende Gestaltungsmittel ist der schnelle Schnitt. Und nicht von ungefähr unterscheiden sich Musikclips und Werbeclips für Jugendliche in ihrer Ästhetik und im Schnittrhythmus kaum voneinander. So wie der Werbeclip sich einfachem Zugang verwehrt, entziehen sich auch die Musikvideos der neunziger Jahre dem direkten Blick. Die Verweildauer der Kamera auf das Idol wird immer kürzer. Die aktuellen Videos beliebter Boy- und Girlie-Groups wie *Backstreet Boys* oder *Spice Girls* zeichnen sich gerade dadurch aus, dass die Kamera stets in Bewegung ist und an ihren Protagonisten ›vorbeihuscht‹, sie oftmals unscharf oder verzerrt einfängt oder aus extremen Kamerawinkeln fotografiert.

Das Aufbrechen von zeitlicher und räumlicher Kontinuität sowie der ständige Perspektivenwechsel, gepaart mit dem eklektizistischen Gebrauch von Symbolen und Motiven, bestimmen den aktuellen Trend.

Dass diese Art der Montagetechnik aber auch zur ideologischen Überrumpelung des Publikums in Spielfilmen benutzt werden kann, beweist ein Film wie *JFK – Tatort Dallas* (1991). Regisseur Oliver Stone liefert mit seiner filmischen Mutmaßung über den Kennedy-Mord ein beeindruckendes Beispiel dafür, wie durch die rasante Verknüpfung bestimmter Bilder, Töne und Geräusche die Zuschauerinnen und Zuschauer in eine beabsichtigte Richtung gelenkt werden können.

Stones Held ist der Staatsanwalt Jim Garrison, den Kevin Costner als aufrechten und unbestechlichen Juristen interpretiert. Aufgrund seiner

26 a–d »JFK – Tatort Dallas« (USA 1991, Oliver Stone): Clipmontage

hartnäckigen Recherchearbeit kommt er zu dem Ergebnis, dass der offizielle Untersuchungsbericht zum Kennedy-Attentat voller Ungereimthei-
ten steckt. In einer Gerichtsverhandlung, sechs Jahre nach dem Attentat,
dient seine Anklage gegen einen vermeintlichen Mittäter als Vehikel,
seine Verschwörungstheorie darzulegen, nach der führende Politiker, der
CIA und die Mafia am Mord an dem Präsidenten beteiligt gewesen sein
sollen. Die Gerichtsverhandlung ist Höhepunkt und Schlusssequenz des
Films. Sie dauert insgesamt 40 Minuten. Die Szene, die die Vorbereitung
des Attentats vor Ort bis zu den tödlichen Schüssen rekonstruiert, ist
knapp 4 Minuten lang und hat 123 Einstellungen!

GARRISON [im Gerichtssaal] Was ist denn nun an diesem Tag wirklich geschehen? Lassen Sie uns mal spekulieren, wie war das also […]? [Abb. 26 a]

Und nun erzählt er seine Version von der Tat, die wir als Kinopublikum
selbstverständlich in bewegten Bildern – wie eine Rückblende – sehen:

GARRISON Da gab es den Zwischenfall mit dem Epileptiker um Viertel nach
zwölf. Dadurch war die Polizei abgelenkt und die Schützen konnten unbeob-
achtet ihre Positionen einnehmen. Der Epileptiker war dann plötzlich verschwunden und wurde auch nie in ein Krankenhaus eingeliefert. Team A geht
ins Schulbuchlagerhaus, in den sechsten Stock. In der Woche waren dort Fuß-
bodenarbeiten im Gange. Da konnten also Fremde ungestört rein- und raus-
gehen. Schnell nehmen die Männer ihre Positionen ein – Minuten vor dem An-
schlag. Der zweite Koordinator, der mit den anderen Teams Verbindung hält,
hatte von seinem Posten aus den besten Überblick. [Abb. 26 b: *Schwarzweiß, unscharf; auf der Tonspur sind unverständliche Funkkommandos zu hören.*]
Team B, bestehend aus zwei Mann, bezieht Position in einem der unteren
Stockwerke im Goretex-Gebäude.

Eine dritte Gruppe, Team C, nimmt Aufstellung hinter dem Bretterzaun am Grashügel. Das sind die beiden, die Lee Bauers zufällig vom Signalturm des Güterbahnhofs aus beobachtet hat. Sie hatten von allen die günstigste Position: Kennedy aus nächster Nähe im flachen Schusswinkel. [Abb. 26 c: *Schwarzweiß, grobes Filmmaterial, unscharf, Detailaufnahme: Eine Gewehrpatrone wird in den Lauf gelegt, auf der Tonspur ist laut das Laden des Gewehrs zu hören.*] Zu diesem Team gehört auch ein Koordinator, der sich als Sicherheitsbeamter ausgibt und mehrere Leute vom Parkplatz verscheucht. Möglicherweise sind auch noch zwei oder drei Mitverschwörer irgendwo in der Menge auf der Elm-Street. Insgesamt zehn oder zwölf Leute: drei Teams, drei Schützen. Dreifache Überschneidung der Schussbahn. Clay Shaw und David Ferrie hatten darüber vor zwei Monaten diskutiert. Sie sind das ganze Areal abgeschritten, kennen jeden Zentimeter. Sie haben an beweglichen Zielen geübt, sie haben ihre Zielfernrohre justiert. Sie sind bereit.

Kennedys Wagenkolonne biegt von der Main-Street in die Huston-Street ein. [Abb. 26 d: *Schwarzweiß; in das Filmbild wird ein weiteres einkopiert, das den Blick durch ein Zielfernrohr imitiert.*] Es wird eine totsichere Sache. Sie schießen nicht auf ihn, während er die Huston-Street raufkommt, wo für einen einzelnen Schützen im Schulbuchlagerhaus die günstigste Gelegenheit wäre. Sie warten, bis Kennedy die Todeszone zwischen den drei Gewehren erreicht hat. Die letzte Kurve: Der Wagen des Präsidenten biegt von der Huston- in die Elm-Street mit einer Geschwindigkeit von weniger als 12 Meilen. [Abb. 27 a: *Schwarzweiß, scharf; die Einstellung inszeniert den 8-mm-Hobbyfilmer Abraham Zapruder, der die Amateuraufnahmen von der Ermordung machte; auf der Tonspur ist das Surren eines Projektors zu hören.*] Äußerste Konzentration bei den Schützen an der Deele-Plaza. Sie nehmen ihr Ziel ins Visier. Sie warten auf das Kommando über Funk: »Grün! Grün!« oder »Abbruch! Abbruch!«. [Abb. 27 b: *Farbig, im Gerichtssaal; im Hintergrund ist der Projektor mit den vermeintlichen Originalaufnahmen zu sehen.*]

Jetzt fällt der erste Schuss. Er hört sich an wie eine Fehlzündung und verfehlt das Ziel völlig. Bild 1/61: Kennedy hört auf zu Winken, als er den Knall hört. Connelly dreht den Kopf leicht nach rechts. Bild 1/93: Der zweite Schuss trifft Kennedy von vorn in die Kehle. Bild 2/25: Der Präsident kurz hinter einem Verkehrsschild. Jetzt kann man sehen, dass er getroffen ist. Er greift sich an den Hals. Der dritte Schuss – Bild 2/32 – trifft Kennedy in den Rücken und reißt ihn

27 a–d »JFK – Tatort Dallas«: Clipmontage

nach vorn runter. Bei Connolly dagegen kein Anzeichen dafür, dass er getroffen ist. Wir sehen, wie er seinen Stetson hält, was bei einem zerschmetterten Handgelenk unmöglich wäre. Connolly dreht sich wieder um. Bild 2/38: Der vierte Schuss. Er verfehlt Kennedy und trifft Connolly in den Rücken. Mit diesem Schuss ist bewiesen, dass es bisher zwei Gewehre waren. Connolly schreit auf: »Mein Gott, sie bringen uns alle um!« Zu diesem Zeitpunkt verfehlt ein weiterer Schuss den Wagen und streift James Tate, der an der Unterführung steht. Der Wagen des Präsidenten bremst ab. [Abb. 27 c: *Schwarzweiß, Detailaufnahme: Der Schütze visiert das Ziel – direkt auf das Publikum gerichtet!*] Der sechste und tödliche Schuss – Bild 3/13 – trifft Kennedy von vorn in den Kopf. Das ist der entscheidende Schuss. Sie sehen's noch mal. Der Kopf des Präsidenten sinkt nach hinten, fällt nach links. Der Schuss kam von vorn rechts. Also nicht aus dem Schulbuchlagerhaus, was gar nicht möglich gewesen wäre. Noch mal bitte! Nach hinten, zurück und nach links, sehen Sie? Nach hinten, nach links. Nach hinten, nach links. Nach hinten und nach links […]. [Abb. 27 d: *Farbig, Originalfilm, extrem grobkörnig und vergrößert.*]

Der Regisseur verwendet für die Szene unterschiedliche Filmmaterialien: Zunächst bestimmt Schwarzweißfilm die ersten zwei Drittel der Rede Garrisons, was ein durchaus übliches narratives Mittel für Rückblenden ist. Aber schon zu Beginn werden auch kurze farbige Bilder eingeschnitten. Damit stellt Stone geschickt die Verbindung zu den beiden vorhandenen originalen historischen Amateuraufnahmen her, die ebenfalls farbig sind. Später verwendet er Szenen aus diesen Originalaufnahmen, jedoch nur kurz. Tatsächlich hat Stone die meisten Farbszenen minutiös in Dallas nachgedreht. Obwohl es sich um fiktive Aufnahmen handelt, suggerieren sie höchste Authentizität.

Stone bearbeitet aber auch das Filmmaterial. Er passt die von ihm inszenierten farbigen Szenen den Originaldokumentationen an. Die 8-mm-Originalaufnahmen von den tödlichen Schüssen auf den Präsidenten sind unscharf und verwackelt. Die nachgestellten Aufnahmen sind ebenfalls unscharf und mit unruhiger Kamera aufgenommen. Und auch die Schwarzweiß-Szenen sind manipuliert: Stone unterbricht den kontinuierlichen Handlungsverlauf durch Herausschneiden einiger Bilder. Da-

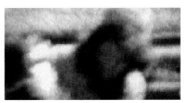

durch entsteht eine Art Stroboskop-Effekt, der Bewegungsabläufe in kurze Intervalle zerlegt. Daneben werden Einstellungen in Zeitlupe gezeigt, andere wiederum komprimieren oder doppeln die Realzeit, sodass eine völlige Auflösung des Zeitkontinuums erreicht wird.

Der Inszenierungsstil ist darauf gerichtet, größtmögliche Dynamik und Unruhe zu erzeugen. Obwohl die Einstellungen selten länger als 2 Sekunden dauern, ist die Kamera ständig in Bewegung. Sie umlauert die Figuren, ist meist ganz eng am Geschehen und benutzt an den jeweiligen dramaturgischen Höhepunkten Reißschwenks und rasante Zooms.

Auf der Tonebene bestimmt das Plädoyer Garrisons die Sequenz – die akustische Information harmoniert im Übrigen perfekt mit den gezeigten Bildern. Eine weitere realistische Qualität dieser Rückblende erzielen die direkten Sätze, die Garrison den Protagonisten zuordnet (»Grün! Grün!« oder »Abbruch! Abbruch!« und »Mein Gott, sie bringen uns alle um!«), die jedoch keinesfalls authentische Zitate sind.

Zusätzlich verwendet Stone eine Geräuschkulisse, wie beispielsweise das Jubeln der Zuschauer. An entscheidenden Stellen der Dramaturgie platziert er weitere Geräusche, die hypernaturalistisch laut über die Geräuschkulisse gelegt werden: das Knallen einer Krankenwagentür, Sirenen, das Durchladen der Gewehre, das Quietschen von Autobremsen, die Schüsse und die Einschlaggeräusche. Dazu hören wir an einigen Stellen Fetzen des Funkverkehrs der verschiedenen Verschwörergruppen untereinander – alles Manipulationen, die das Publikum im Gericht sicherlich nicht wahrnehmen kann. Stone visualisiert ausschließlich für das Kinopublikum Garrisons Sicht des Attentats. Es gibt während der gesamten Szene nur einen kurzen Schnitt zurück in den Gerichtssaal, und zwar an der Stelle, wo Garrison den 8-mm-Projektor einschaltet, um den Originalfilm von der Ermordung Kennedys zu zeigen (Abb. 27 b). Unmittelbar im Anschluss daran schneidet die Szene wieder auf die Darstellungsebene vor Ort.

Die Musik tut ein Übriges, um uns in die vom Regisseur intendierte Richtung zu lenken. Zunächst wabert sie dumpf und bedrohlich im Hintergrund, um dann, kurz vor dem Attentat, großorchestral die dramatische Stimmung zu illustrieren.

Die Bilderflut wird einzig und allein zusammengehalten von der Off-Stimme Garrisons, die als akustische Klammer funktioniert. Zeigt man die gesamte Szene ohne Tonspur, so erschließt sich deren Bedeutung nicht.

Wenn Garrison schließlich die dokumentarischen 8-mm-Aufnahmen vom tödlichen Schuss wieder und wieder zeigt (Abb. 27 d), wechselt der Film zurück in den Gerichtssaal. Und auch dort wird der Kinozuschauer unter Vortäuschung von Authentizität manipuliert:

GARRISON Das ist der entscheidende Schuss. Sie sehen's noch mal. Der Kopf des Präsidenten sinkt nach hinten, fällt nach links. Der Schuss kam von vorn rechts. Also nicht aus dem Schulbuchlagerhaus, was gar nicht möglich gewesen wäre. Noch mal bitte! Nach hinten, zurück und nach links, sehen Sie? Nach hinten, nach links. Nach hinten, nach links. Nach hinten und nach links […]. [*Die Bilder werden mehrfach wiederholt und dabei vergrößert.*]

Zur Zeit der realen Anhörung, sechs Jahre nach dem Attentat, war die Projektionstechnik bei weitem noch nicht so ausgereift, dass, wie im Film, der 8-mm-Film permanent hätte wiederholt, einzelne Standbilder hätten herausgearbeitet und schon gar nicht bei laufendem Projektor vergrößert werden können.

Insgesamt ist diese Montagesequenz ein Paradebeispiel für höchst effektive Emotionalisierung und Manipulation des Publikums. Es handelt sich eben nicht um die authentische Nacherzählung eines Attentats, sondern um den geschickt inszenierten Versuch, die eigene Attentatsvermutung als einzig wahre Möglichkeit in die Köpfe der Zuschauerinnen und Zuschauer zu transportieren. Oliver Stone bedient sich dafür des gesamten technischen und ästhetischen Instrumentariums, das auch die Videoclipästhetik bestimmt. Darüber hinaus ist die Szene bestens dazu geeignet, die Manipulation von Raum, Zeit und Filmmaterial zu exemplifizieren sowie den Wahrheitsgehalt von Bildern zu diskutieren.

Wenn zu Beginn des Kapitels darauf verwiesen wurde, dass von einigen ein baldiges Zurück zu ruhigeren Schnittfrequenzen prophezeit wird, so ist davon momentan noch nichts zu spüren.

Die aktuellen Tendenzen im Actionfilm lassen eine ›neue Langsamkeit‹ noch nicht erkennen. Aber gerade an den Montagetechniken zeitgenössischer Hollywoodfilme aus dem Katastrophen- und Fantasy-Bereich, wie *Independance Day, Twister* (beide 1996), *Con Air, Batman & Robin* und *Speed* 2 (alle 1997) kann man sehr schön verdeutlichen, dass es durch die schnelle Schnittfrequenz nicht mehr möglich ist, die einzelnen Einstellungen wahrzunehmen und schon gar nicht im Sinne einer Analyse der Bildgestaltung (↗S. 49–52) zu interpretieren. Hier geht es nur noch um den Rausch der Bilder, der – unterlegt mit effektvollen Geräuschen und dramatischer Musik – eine Atmosphäre größtmöglicher Dynamik erzeugt, ohne dabei etwas deutlich zu zeigen.

Unterrichtspraktische Hinweise

Um den synthetischen Charakter eines Films herauszuarbeiten, sind Untersuchungen von *Einstellungen* ein geeignetes Herangehen:

- In wie viele Einstellungen ist ein Gespräch in einer TV-Serie aufgegliedert?
- Vergleichen Sie die Anzahl der Einstellungen von Nachrichtenfilmen mit denen eines Videoclips oder einer gleich langen Sequenz eines Actionfilms. Gibt es eine gattungsspezifische Schnittfrequenz?
- Vergleichen Sie zwei ähnlich aufgebaute Szenen (etwa Verfolgungsjagd im Gangsterfilm) aus den vierziger Jahren und eine zeitgenössische Variante: Welche Wirkung hat die höhere Schnittfrequenz?

Die Manipulationsmöglichkeiten durch den *Schnitt* kann man verdeutlichen, wenn man Kuleschow-Experimente (↗ S. 63 f.) nachahmen lässt:

- Filmen Sie eine Dialogsequenz zwischen zwei oder mehreren Personen, die sich jeweils an verschiedenen Orten befinden, und schneiden Sie diese so zusammen, dass der Eindruck entsteht, sie unterhielten sich in unmittelbarer Nähe miteinander.
- Wenden Sie den Kuleschow-Effekt (A + B = C) auf eine Klassensituation an (z.B. möglichst neutrales Bild von Lehrerin oder Lehrer, kombiniert mit unterschiedlichen Reaktionen von Schülerinnen und Schülern in unterschiedlichen schulischen Situationen).
- Versuchen Sie mithilfe von Kameraperspektiven, Einstellungsgrößen und eindeutiger Gestik/Mimik starke Charaktere zu erzeugen.

Zum Nachvollziehen der *Montagesequenzen* bietet es sich an, einen zusammenfassenden Satz oder Text als Storyboard zeichnen zu lassen. Wie lassen sich etwa die folgenden Sätze in Bilderfolgen umsetzen?

- ›In den folgenden Monaten holte sie/er den Stoff des ganzen Schuljahres nach.‹
- ›Sie/er trainierte wochenlang wie ein Besessener für den Marathonlauf.‹
- ›Der Unfall hatte ihn verändert. Im Laufe der Jahre wurde er immer unausstehlicher. Selbst seine besten Freunde wandten sich von ihm ab.‹

Parallelmontagen, die im Cross-Cutting-Verfahren simultan ablaufende Vorgänge schildern, sind gute Beispiele für die Raffung der *Erzählzeit*. In einer Übung zur Montage kann dies nachvollzogen werden: Wenn man die einzelnen Erzählstränge voneinander trennt und jeweils linear hintereinander schneidet, zeigen sich Sprünge in der Kontinuität. Eine interessante Aufgabe ist es, die fehlenden Einstellungen zu bestimmen und gegebenenfalls als Storyboard-Zeichnungen zu ergänzen. Am Beispiel der Parallelmontage aus *Jurassic Park* hieße das:

– Entwerfen Sie eine Skizze der Szene im Park, wobei Sie die anderen beiden Handlungsstränge (Einsatzzentrale und Versorgungshaus) aussparen.
– Beschreiben Sie die Wirkung dieser ›eingleisigen‹ Szene im Vergleich zur Parallelmontage.
– Welche Einstellungen müssten ergänzt werden, damit die Szene flüssig erzählt ist?

Die Tendenz zu immer schnelleren *Schnittrhythmen* lässt sich am Beispiel von *JFK – Tatort Dallas* nachvollziehen. Die oben vorgestellte Szene der Ermordung John F. Kennedys bietet darüber hinaus ausreichend Material, um Manipulations- und Überrumpelungsstrategien mittels der Montage zu verdeutlichen.

Die Funktion der *akustischen Klammer* erklärt sich beispielsweise durch das Ausblenden des Plädoyers:

– Was sagen die einzelnen Bilder dann noch aus?

Vergleiche mit ähnlich schnell geschnittenen Videoclips oder Szenen aus anderen Actionfilmen können als Diskussionsgrundlage für die Wirkungsintention der *Clipmontage* dienen:

– Inwieweit erlauben solche rasanten Montagen geistige Mitarbeit des Publikums?

Eine Übung zur *Plansequenz* lässt sich durch eine komplizierte Fahrt mit Schwenk- und Neigebewegungen durch den Klassenraum realisieren. Dabei sollen beispielsweise folgende Teilaufgaben bewältigt werden:

– Die Plansequenz soll alle Schülerinnen und Schüler zeigen.
– Sie soll den Klassenraum vorstellen.
– Es soll eine bestimmte Situation dargestellt werden (Warten auf die Lehrerin/den Lehrer, Klassenarbeit, Ende des Unterrichts o. Ä.).

IV Filmisches Erzählen

Neben den Elementen des Dramatischen, die vor allem in der Mise-en-Scène-Analyse herausgearbeitet werden, weist der Film erzählerische Elemente auf. Anders als eine Theateraufführung, die ohne einen Vermittler zwischen Handlung und Publikum auskommen kann, muss der Film solch eine vermittelnde Instanz haben. Jedes Filmbild hat eine Perspektive, gibt einen Standpunkt wieder und verweist so auf eine bestimmte Haltung zu den gezeigten Gegenständen, Personen und deren Handlungen. Begriffe der Analyse wie ›Perspektive‹ oder ›Einstellung‹ unterstreichen schon die doppelte Qualität von technischer und narrativer Ebene beim Film.

Erzählperspektiven

Die klassische Erzählweise des Films ist auktorial. Sie wird durch eine neutrale Kamera vermittelt, die die Funktion eines weder an räumliche noch an zeitliche Beschränkungen gebundenen Beobachters hat. Diese optimale auktoriale Voraussetzung wird genutzt, um die Handlung möglichst in kausalen Zusammenhängen zu präsentieren: Die Ereignisse einer filmischen Erzählung erscheinen folgerichtig und in psychologisch motivierter Weise.

Ausnahmen und Abweichungen von diesem Prinzip des einheitlich-chronologischen Erzählens sind genau festgelegt, das heißt, sie sind durch stilistische Merkmale klar zu erkennen. Eine Rückblende oder eine Erinnerungssequenz wird deshalb vom Publikum als notwendige Unterbrechung des Erzählflusses akzeptiert – verdeutlicht beispielsweise durch Wischblenden, bei denen ein Bild A durch Bild B ›weggeschoben‹ wird, oder Farbwechsel und Toneffekte.

Die Kamera ist das dominanteste Mittel des filmischen Erzählens, da sie die optischen Standpunkte vermittelt. Jedoch kann sie viel müheloser, als in der erzählenden Literatur möglich, die Perspektive wechseln. Sie kann einen Standpunkt in Sekundenschnelle verlassen und von einer ›neutralen Sicht‹ in die verschiedensten Perspektiven auf ein Geschehen übergehen.

In diesem Wechsel zu subjektiven Standpunkten werden die Ziele des traditionellen filmischen Erzählens widergespiegelt: Die Zuschauerinnen und Zuschauer sollen den Überblick über eine Situation haben und sich zugleich mit den Personen identifizieren und emotionalisiert werden.

Neben der Kameraarbeit sind Inserts – schriftliche Einblendungen (mit Orts- und Zeitangaben oder Erläuterungen historischer Zusammenhänge) – und die Tonspur (↗ Voice Over, S. 107 f.) weitere Elemente des filmischen Erzählens, die alle nötigen Informationen zum Verständnis der Handlung liefern.

Ich-Erzählung: subjektive Kamera

Bei einer Erzählung aus der Sicht der ersten Person werden die Grenzen eines sinnvollen ›Vergleichs‹ zwischen literarischen und filmischen Techniken deutlich. In Romanen oder Kurzgeschichten ist eine durchgehend subjektive Perspektive, dargestellt durch einen Ich-Erzähler, durchaus nicht ungewöhnlich, im Film hingegen findet sie sich nur äußerst selten. Die subjektive Kameraposition, die dem Publikum suggeriert, das Geschehen auf der Leinwand durchgängig aus dem Blickwinkel eines Protagonisten zu sehen, ist im kommerziellen Film immer eine auffällige Ausnahme geblieben.

Robert Montgomerys Adaption von Raymond Chandlers Roman *Die Dame im See* (1943 [dt. versch. Titel]; als Film 1946) ist das bekannteste Beispiel eines kommerziellen Films, der mit *subjektiver Kamera* erzählt ist. Sie ist fast ausschließlich aus der Sicht der Hauptfigur gefilmt. Philip Marlowe ist nur am Anfang und am Ende des Films aus ›neutraler Perspektive‹ zu sehen, wenn er das Publikum direkt (indem er in die Kamera blickt) anspricht, um den Rahmen für die in einer Rückblende erzählte Geschichte zu setzen:

MARLOWE Sie sehen diesen Fall, wie ich ihn sah, treffen dieselben Menschen, finden dieselben Spuren und lösen ihn vielleicht sogar noch vor mir. Aber vielleicht auch nicht. Sie denken, Sie machen das schon, okay, Sie sind ja clever. Aber ich möchte Ihnen einen Tip geben: Sie müssen aufpassen. Aufpassen und wachsam bleiben, denn es passiert immer dann was, wenn man es am wenigsten erwartet.

Erst nach der einleitenden Rede Marlowes werden die Ereignisse des Kriminalfalls in einer Rückblende durch die subjektive Kamera gezeigt. Am Ende wird diese optische Perspektive wieder verlassen, und der Film schließt mit einem weiteren, direkt an das Publikum gerichteten Kommentar des Protagonisten.

Die ansonsten strenge Einhaltung der subjektiven optischen Sicht in *Die Dame im See* gilt allgemein als gescheitertes Experiment. Die Erzählhaltung des Films, in der das Kamerabild das Blickfeld des Protagonisten wiedergeben soll, hat sich als ein Prinzip filmischen Erzählens nicht durchgesetzt. Der durchgängigen Perspektive einer subjektiven Kamera stehen zu offensichtliche technische, physiologische und psychologische Gründe entgegen. Das Blickfeld der Kamera entspricht nicht dem des menschlichen Auges. Ihr ununterbrochen ›starrer‹ Blick nimmt zudem alles Gesehene gleichwertig auf. Das Kameraauge kann nicht interessiert oder gelangweilt, freudig oder traurig sein, kann nicht aufmerksam oder abwesend reagieren.

Besonders im Vergleich zum Ich-Erzähler in der Literatur werden die Unzulänglichkeiten deutlich. Im Roman beschreibt der Ich-Erzähler seine Wahrnehmung der Ereignisse und stellt damit gleichzeitig dar, wie er die Romanwirklichkeit versteht. Jede Beschreibung ist durch die Wahl der Worte bereits als seine Interpretation ausgewiesen. Die Kamera dagegen ist nichts als ein Aufzeichnungsgerät. Sie kann zwischen technischer Wiedergabe und subjektiver Wahrnehmung nicht unterscheiden. Damit aber fehlt ihr die Qualität als vermittelnde Instanz, die den Vorgang des Erzählens ausmacht.

Eine zeitliche Trennung von erzählendem und erlebendem Ich ist durch die subjektive Kamera allein ebenfalls nicht möglich. Die durch das Kameraauge aufgezeichneten Bilder sind immer unmittelbar, wodurch ihnen das reflexive Element der Ich-Literatur fehlt. Eine Kamera kann nicht innehalten, kommentieren oder bewerten. Um diese Erzählfunktionen erfüllen zu können, muss der Film ein ›Ich‹ immer erst konstruieren. Damit Zuschauerinnen und Zuschauer überhaupt eine Beziehung zur Hauptfigur aufbauen können, werden in *Die Dame im See* immer wieder Spiegelaufnahmen in die Handlung eingebaut, die eine optische Identifikation ermöglichen (Abb. 28). Außerdem wird das erzählerische Mittel der Voice Over eingesetzt, um die subjektive Sicht Marlowes nicht nur im technischen Sinne, sondern auch narrativ auszudrücken. Erst diese Kombination von Erläuterungen auf der Tonspur und in der Rahmenhandlung, in der Marlowe als Erzähler und Kommentator auftritt, macht den Film zu einer nachvollziehbaren Erzählung.

Das unbekannte Gesicht (1947) von Delmer Daves ist ein weiteres Beispiel aus der kurzen Phase, in der das traditionelle Hollywood mit Formen der subjektiven Kamera experimentiert hat.

Die erste halbe Stunde des Films zeigt die Flucht des Sträflings Vincent Parry fast ausschließlich aus dessen subjektiver Sicht. Auch hier wird nicht auf eine Off-Stimme verzichtet, um die Bilder zu erläutern. Durch diese Stimme, die die Gedanken des Flüchtlings wiedergibt, entsteht eine Art innerer Monolog.

In einer Szene sucht der flüchtende Parry einen Gesichtschirurgen auf, der ihn äußerlich verändern soll, damit ihn niemand mehr erkennt. Parry betritt das Institut des ›Spezialisten‹ Walter Coley und wird mit dessen Methoden vertraut gemacht. Der Spezialist macht einen wenig Vertrauen erweckenden Eindruck. Er redet davon, wie er seine eigene Spezialtechnik entwickelt hat und wie er daraufhin aus der Ärztekammer ausgeschlossen wurde. Vincent bezahlt 200 Dollar für die zweifelhafte Operation im Voraus. Der Spezialist betont, dass er jeden Patienten, den er nicht mag, für immer entstellen könne.

An dieser Szene lassen sich die Defizite der subjektiven Kamera noch einmal klar erkennen. Die beiden zentralen Kategorien des kommerziellen Films – Identifizierung und Emotionalisierung – kämen bei dieser Filmsequenz, gäbe es hier eine auktoriale Kamera, voll zur Geltung. Der Darsteller des Vincent Parry (nach der Gesichtsoperation wechselt die Perspektive auf eine neutrale Kamerasicht, Parry wird von Humphrey Bogart verkörpert) könnte der Unsicherheit Ausdruck geben, die durch die unseriösen Methoden des Arztes ausgelöst wird. Ebenso würde sein Besuch bei dem Spezialisten durch die Darstellung seiner Reaktionen (Entschlossenheit, Neugier, Angst oder Lässigkeit) die Identifizierung mit ihm erleichtern und ihn gleichzeitig charakterisieren.

Eine solche Gelegenheit, die Empfindungen der Hauptfigur auszudrücken, bietet der Ich-Erzähler in der Literatur. Er kann von sich, seinen Gefühlen und Gedanken sprechen, wobei wir als Leserinnen und Leser jederzeit wissen, dass uns ausschließlich seine Perspektive vermittelt wird. Im visuell wirkenden Medium Film erscheint es dagegen schwer möglich,

28 »Die Dame im See« (USA 1946, Robert Montgomery): Subjektive Kamera als Versuch, den Ich-Erzähler zu imitieren

sich mit jemanden verbunden zu fühlen, dessen Aussehen man nicht kennt, von dem nur das, was er sieht, bekannt ist.

Es liegt wohl vor allem an diesem Defizit, dass das Experiment, lange Sequenzen oder gar ganze Filme mit subjektiver Kamera zu erzählen, sich nicht als eine populäre Erzählweise durchgesetzt hat. Abgesehen davon ist das, was die Kamera in subjektiver Perspektive vermittelt, kaum eine glaubwürdige technische Wiedergabe. Gewöhnlich wirken Dialoge, wenn sie nicht in Schuss/Gegenschuss-Technik aufgelöst werden, äußerst statisch und sind geprägt vom starren Blick der Gesprächspartner in die Kamera. Auch wirken solche Einstellungen dann fast immer unnatürlich, wenn einzelne Körperteile der ›subjektiven Person‹, wie Arme oder Hände, ins Bild hineinreichen.

Am Rande sei noch erwähnt, dass außerhalb des traditionellen Kinos immer wieder Experimente mit subjektiver Kamera durchgeführt werden. Die bizarren Effekte dieser Perspektive wurden beispielsweise in dem Fernsehfilm *Die Verwandlung* (1975) nach Kafka genutzt. Die subjektive Perspektive des mutierten Gregor Samsa bewirkt einen durchgängig verzerrten Blick auf die ›normale‹ Umwelt. Die wiedergegebene Perspektive muss übrigens nicht unbedingt einer Person zugeschrieben werden. Der mexikanische Spielfilm *Intimitäten in einem Badezimmer* (1989) reflektiert im wahrsten Sinne des Wortes über die gesamte Länge von 75 Minuten die Krise einer Mittelstandsfamilie aus der starren Sicht eines Badezimmerspiegels!

Kurze Einstellungen aus subjektiver Perspektive können im Kontext einer Filmerzählung mit überwiegend beschreibender Kamera allerdings sehr effektiv sein. Szenen, die die eingeschränkte Sicht einer Figur wiedergeben, tragen im Genre des Horrorfilms beispielsweise zur Spannungssteigerung bei. Der Film verweigert den Zuschauerinnen und Zuschauern in bestimmten Momenten einen anderen Blickwinkel als den der Protagonisten, wodurch eine Identifizierung mit deren Rolle als Opfer erreicht wird. Angst und Unsicherheit der Hauptfigur von *Halloween* (1978) werden durch kurze Einschübe der subjektiven Sicht dadurch parallel beschrieben und dargestellt. In ihrer Wirkung auf das Publikum hat diese Doppelung einen intensivierenden Effekt.

Einen anderen Weg zum subjektiven Ausdruck im Film wählt Stanley Kubrick in seiner Adaption des Romans *Uhrwerk Orange* (1962; als Film 1971) von Anthony Burgess. Der Film beginnt mit einer Einstellung auf die Hauptfigur Alex, der direkt in die Kamera blickt (Abb. 29). In einer langen Rückwärtsfahrt öffnet sich der filmische Raum, wobei der in die Kamera starrende Alex stets im Zentrum bleibt. Erst nach dieser visuellen Einführung von ungefähr einer halben Minute setzt die Voice Over ein:

29 »Uhrwerk Orange« (GB 1971, Stanley Kubrick): Der Blick in die Kamera unterstützt die Identifikation mit der Filmfigur.

[ALEX] Das hier bin ich, Alex, und meine drei Droogs: Pete, Georgie und Dim. Wir hockten in der Korova-Milchbar und überlegten uns, was wir mit diesem Abend anfangen sollten.

Im Folgenden erzählt Alex retrospektiv die Handlung des Films, bei der er im Mittelpunkt steht. Die Identifizierung mit dem Blick des Protagonisten in die Kamera wird im Film mehrmals wiederholt, häufig kombiniert mit der kommentierenden Voice Over. Dadurch entsteht eine ›Komplizenschaft‹ zwischen dem jugendlichen Verbrecher und dem Publikum, das die Gedanken und Taten von Alex kennen lernt. Zudem wird in Situationen von großer Aggression (= Emotion) die subjektive (Hand-)Kamera eingesetzt, die für Momente das Blickfeld von Alex wiedergibt und die Identifizierung mit ihm noch verstärkt. Alex führt die Zuschauerinnen und Zuschauer durch seine eigene Geschichte. Er ist fast immer zu sehen und eindeutig die erzählende Instanz des Films.

Der Blick einer Filmfigur in die Kamera, bei dem das Publikum der Adressat ist, wird im erzählenden Film selten eingesetzt. Wenn das Publikum direkt angesprochen wird, ist es in den meisten Fällen aufgefordert, die entsprechenden Charaktere kennen zu lernen. In Woody Allens *Der Stadtneurotiker* (1977) spricht Allens Figur Alvy Singer direkt zum Publikum und erklärt seine neurotisch-komische Lebensphilosophie. Wir werden ins Vertrauen gezogen und können für die folgenden Ereignisse mehr Verständnis aufbringen. Am Anfang der Schülerkomödie *Ferris macht blau* (1986) erläutert der smarte Titelheld dem Publikum, welche Tricks es gibt, die Schule zu schwänzen. Auch hier dient die Publikumsansprache dazu, uns den geschickten Blaumacher möglichst schnell und effektiv vorzustellen und ihn sympathisch zu machen.

Reflektorfigur

In den beiden letztgenannten Beispielen bleiben Zuschauerinnen und Zuschauer den Hauptfiguren immer an die Seite gestellt und sie teilen die Erlebnisse und Gedanken der Charaktere, die sie ins Vertrauen ziehen. Diese enge Verbindung macht diese Charaktere zu *Reflektorfiguren*, durch deren Sicht – wenn auch nicht im optischen Sinne wie bei der subjektiven Kamera – wir die Handlung erleben.

Zur Etablierung einer Reflektorfigur bedarf es aber nicht unbedingt des ›direkten Kontakts‹ zum Publikum, wie die Adaption von Daphne du Mauriers Erfolgsroman *Rebecca* (1938; als Film 1940) beweist. Der Film beginnt mit einer Traumerzählung der namenlos bleibenden Heldin als Voice Over:

> [ICH–ERZÄHLERIN] Gestern Nacht träumte ich, ich wäre wieder in Manderley. Ich stand vor dem eisernen Gitter der Einfahrt. Erst konnte ich nicht hineingelangen, denn der Weg war mir versperrt. Dann aber besaß ich plötzlich, wie alle Träumenden, übernatürliche Kräfte, und wie ein körperloses Wesen ging ich durch das Hindernis hindurch.

Zu sehen ist eine Bebilderung dieses Traums: Die Kamera durchdringt das eiserne Tor sowie das Dickicht des zugewachsenen Gartens und schwebt – traumgleich – durch die Ruinen des zerstörten Landsitzes Manderley.

Die Sequenz bildet den subjektiven Erzählrahmen für die dann folgende konventionell erzählte Geschichte des Films. Die Intimität dieses Anfangs, der dem Publikum aus subjektiver Sicht den Traum der Hauptfigur vermittelt, erreicht den Effekt einer starken Identifizierung, die für die melodramatische Handlung beabsichtigt ist. Obwohl der Film nach der Eingangssequenz die körperlose Traumperspektive verlässt und auch die Voice Over nicht wieder aufnimmt, handelt es sich um eine durchgehend an der Heldin orientierte Erzählung: Zuschauerinnen und Zuschauer erfahren gleichzeitig mit ihr den Fortgang der Geschichte, emotional verstärkt durch nur kurze Aufnahmen, die ihr Blickfeld wiedergeben (*Point of View Shots*). Die Ich-Perspektive des Romans wird im Film also weitgehend von einer filmischen Reflektorfigur übernommen. Die Kamera zeigt nicht ausschließlich, was die Augen der Protagonistin sehen, sondern sie zeigt vor allem die Reaktionen der Heldin in der auf sie konzentrierten Sicht der Geschichte. Damit werden die oben geschilderten erzählerischen Nachteile der subjektiven Kamera vermieden.

30 »Schloß des Schreckens« (GB 1961, Jack Clayton):
Träumende und Traumbilder sind gleichzeitig zu sehen
(Doppelbelichtung).

Auch wenn die Kamera das Geschehen in der dritten Person aufzeichnet, ist sie nicht als auktoriale Erzählinstanz zu verstehen, weil sie nicht mehr mitteilt, als die Protagonistin weiß. Durch die Eingangssequenz ist zur Genüge deutlich gemacht, dass es sich um eine Erzählung der Heldin über sich selbst handelt. Die Bilder der Rückblende, die fast den gesamten Film ausmacht, fokussieren demnach das Geschehen auf die Erlebnisse der Ich-Erzählerin.

Ein ähnliches Verfahren der Konzentration auf die Hauptfigur und deren Wahrnehmung der Ereignisse findet sich in *Schloß des Schreckens* (1961). Um den subjektiven Charakter der Filmbilder selbst in einer Alptraumsequenz noch zu unterstreichen, sind hier die Träumerin und die Bilder ihres Traums gleichzeitig zu sehen (Abb. 30). Diese bildliche ›Anwesenheit‹ der Träumerin unterstreicht – ebenso wie deren akustische Präsenz in *Rebecca* – die narrative Norm der Eindeutigkeit erneut: Surreale oder assoziative Sequenzen sind nur mit einer erläuternden Zuordnung der Bilder als ›Phantasie‹ möglich.

Voice Over

Die *Voice Over*, der erläuternde Kommentar eines Protagonisten auf der Tonspur, ist besonders häufig im amerikanischen Film noir der vierziger Jahre eingesetzt worden. Der Erzählrahmen der retrospektiven Voice Over bietet hier einen idealen Modus, um ein Klima der Unausweichlichkeit für die Filmerzählung zu kreieren.

Ein Beispiel für diese Funktion ist der Ich-Erzähler in *Spiel mit dem Tode* (1948). Die Eingangsszene führt in die Gänge eines großen Verlagshauses und zeigt einen gehetzt wirkenden Mann, der sich offensichtlich vor seinen Verfolgern versteckt. Als er sich in Sicherheit wähnt, resümiert er in Voice Over:

[GEORGE STROUD] Wie bin ich denn eigentlich in diesen Schlamassel hineingeraten? Ich bin doch kein Verbrecher. Wie hat das bloß alles angefangen? Noch vor 36 Stunden durchquerte ich die Halle auf meinem Weg zur Arbeit. Hatte nur meine eigenen Angelegenheiten im Kopf und freute mich auf den ersten Urlaub seit Jahren. Vor 36 Stunden war ich ein anständiger, angesehener Bürger mit Frau und Kind und in fabelhafter Stellung. Vor genau 36 Stunden nach der großen Uhr […].

In der Rückblende wird dann gezeigt, welche Ereignisse zu der geschilderten Ausgangssituation geführt haben. Die Ich-Perspektive jedoch wird nicht wieder aufgenommen, integriert sind auch Handlungselemente, von denen der Erzähler – der Logik der Geschichte folgend – gar nichts wissen kann. Die personalisierte Voice Over ist also nicht konsequent durchgehalten. Sie ist als Genre-Konvention zu verstehen: die Zuschauerinnen und Zuschauer effektiv und schnell mitten in die Geschichte zu führen und deren Identifikation mit der Hauptfigur rasch zu erreichen.

Die Voice Over als erzählendes Element findet sich besonders häufig am Anfang eines Films, wodurch die gesamte Handlung gewissermaßen in die Vergangenheitsform gestellt wird. Ein zeitlicher Abstand zwischen der Zeitebene der Erzählstimme und der gezeigten Geschichte kann einen epischen Effekt haben, bei dem die Bilder den Zuschauenden als bereits Vergangenheit bewusst sind. Ein solcher ›poetischer Abstand‹ zu den Bildern durch die Erzählstimme wird beispielsweise in Filmen wie *In der Glut des Südens* (1978) oder *Leolo* (1992) erzeugt.

Martin Scorsese lässt in *Casino* (1995) zwei Erzählstimmen nebeneinander zu Wort kommen, wodurch eine doppelte und zum Teil widersprüchliche Perspektive auf das Geschehen entsteht. Das Publikum wird zu einer Identifikation mit dem geschilderten Verbrechermilieu gar nicht erst verleitet, da sich die Gangster schon durch ihre Erzählung als unsympathisch erweisen.

Mindscreen – innere Leinwand

Wenn wir in einem Film Traumbilder, Phantasien oder Erinnerungsbilder sehen, so sind sie offensichtlich nicht von einer neutralen Perspektive geprägt, sondern subjektiver Natur. Solche Sequenzen, in denen das Publikum an der Erfahrungswelt der Protagonisten unmittelbar teilnimmt, werden als *Mindscreen* bezeichnet. Die Bilder erscheinen nicht einfach auf der Leinwand, sondern sie wirken von einem erzählenden Subjekt generiert und ausgewählt.

Solche Bilder sind Bewusstseinsbilder einer Figur. Für das Verständnis der Geschichte bedeutet das Konzept von der ›inneren Leinwand‹ eine Relativierung des Realitätsanspruchs der gezeigten Bilder. Die stilisierte und überdrehte Darstellungsweise in Kubricks *Uhrwerk Orange* erklärt sich so beispielsweise als die Wiedergabe der Erfahrungswelt des unkonventionellen und amoralischen Protagonisten Alex. Die Zuschauerinnen und Zuschauer teilen seine extreme Wahrnehmung.

Die in einer oder mehreren Rückblenden erzählte Geschichte muss nicht unbedingt an der Seite des Erzählers bleiben, um eine durchgehend subjektive Sicht aufrechtzuerhalten. Durch die Form der Rückblende wird die Erzählung der Vergangenheit zugeordnet, der Wissensstand des Ich-Erzählers in der Rahmenhandlung kann also durchaus größer sein als zum Zeitpunkt der erzählten Geschichte. Er kann Einzelheiten mitteilen, die ihm erst später bekannt wurden. So können Szenen in den Film eingefügt werden, die sich ohne den Ich-Erzähler abgespielt haben, von denen er in der Rekonstruktion dennoch erzählen kann.

Wie äußert sich die subjektive Sicht in solchen nicht selbst erlebten, aber nachträglich referierten Szenen? Eine konsequente Filmerzählung muss die Vorstellung beziehungsweise Interpretation des nicht anwesenden Ich-Erzählers visualisieren, da sich ansonsten nur eine auktoriale Erzählhaltung – durch die neutrale Kamera dargestellt – realisieren ließe.

In Brian De Palmas *Fegefeuer der Eitelkeiten* (↗ S. 87–89) hat der zynische Journalist Peter Fallow die Rolle des Ich-Erzählers. Als Nebenfigur der Geschichte fungiert er als Zeuge der Ereignisse. Zum einen ist er an der Geschichte als Protagonist beteiligt, zum anderen präsentiert er in einer Rahmenhandlung die Filmerzählung als Ergebnis seiner Recherchen. Damit sind auch die Szenen, an denen Fallow nicht handelnd beteiligt war, als seine Interpretation der geschilderten Vorgänge zu verstehen. Die überzogene, boshafte Charakterisierung der Figuren aus dem Wall-Street-Milieu New Yorks entspricht Fallows Sicht dieser Gesellschaft. Hier hat die bildliche Gestaltung einzelner Szenen narrative Qualitäten, die auf den Erzähler Fallow bezogen werden können: Verzerrte Winkel und außergewöhnlich extreme Ober- und Untersichten der Kamera machen die Figuren seiner Erzählung zu Karikaturen. Die optische Deformation entspricht dabei seinem Urteil über die moralische Deformation dieser Charaktere. Auch ohne eine durchgehende Voice Over des Erzählers wird hier deutlich, dass es sich um eine personalisierte und damit vermittelnd interpretierende Sicht handelt. Die Gestaltung der Mise en Scène ist dabei von entscheidender Bedeutung: Nicht im sprachlichen Kommentar,

31 »Fegefeuer der Eitelkeiten« (USA 1990, Brian De
Palma): Mindscreen – Filmbilder als Bewusstseinsbilder

sondern in der bildlichen Gestaltung wird die Erinnerung an die Ereignisse lebendig. Zu sehen sind subjektiv rekonstruierte Bilder, deren Deutung auf den Ich-Erzähler bezogen werden muss.

Der Ich-Erzähler Peter Fallow ist das zentrale Bewusstsein des Films.
Sowohl der Bildinhalt (Mise en Scène) als auch der Erzählrhythmus
(Montage) gehen auf ihn zurück und können in Bezug auf ihn interpre-
tiert werden. Das Beispiel (Abb. 31) zeigt, wie sich das Bewusstsein des
Ich-Erzählers im Bildinhalt widerspiegeln kann.

Die formale Gestaltung einer Ich-Erzählung im Film ist jedoch selten
eindeutig, und Bildinhalte, wenn sie nicht in subjektiver Kamera oder in
Point of View Shots vermittelt werden, sind mehrdeutig. Der Standpunkt,
von dem aus ein Film oder eine einzelne Szene erzählt wird, lässt sich
technisch immer genau beschreiben. Wer erzählt, ist dagegen nicht immer eindeutig.

Ebenso wenig ist es immer möglich, eine klare Trennung zwischen
Mindscreen-Bildern und solchen mit ›Realitätsanspruch‹ vorzunehmen.
Traditionelle filmische Signale wie das langsame Verschwimmen des Bildes vor einer Traumsequenz, Ton- und Farbverzerrungen bei Halluzina-
tionen oder Phantasiebildern werden im zeitgenössischen Film nur noch
selten eingesetzt. Die Filmserie *Nightmare on Elm Street* (seit 1984) basiert sogar auf der Prämisse, dass sich Traum und Wirklichkeit unerkenn-
bar vermischen. Auch ein Film wie *Brazil* gibt keine eindeutigen Hinweise mehr darauf, in welcher Realität sich die Protagonisten – und mit
ihnen das Publikum – befinden.

Die hier vorgestellten Beispiele lassen sich zusammenfassen zu folgenden Möglichkeiten einer subjektiven erzählenden Instanz im Film:

Voice Over Ein Ich-Erzähler vermittelt die Geschichte des Films retrospektiv (im Präteritum) oder kommentiert die gezeigten Ereignisse (im

Präsens). Der Ich-Erzähler kann selbst eine Hauptfigur der Handlung sein, aber auch als erzählender Zeuge auftreten.

Subjektive Kamera und *Point of View Shots* Sie vermitteln eine optische Identifizierung mit dem Blickfeld eines Protagonisten. Bei längeren Sequenzen in subjektiver Kamera ergänzt fast immer eine Voice Over die Bilder.

Reflektorfigur Zu keinem Zeitpunkt haben Zuschauerinnen und Zuschauer mehr oder weniger Informationen über den Stand der Handlung als die Hauptfigur, an deren Seite sie während der gesamten Handlung gestellt sind.

Mindscreen Die Bildgestaltung erscheint fokussiert durch das zentrale Bewusstsein des Ich-Erzählers. Auch Szenen, in denen der Ich-Erzähler (körperlich) abwesend ist, erscheinen als von ihm generierte, imaginierte oder recherchierte und erzählte Szenen.

Frequenz und Länge dieser einzelnen subjektiven Erzählelemente im Film können also erheblich variieren. Letztlich entscheiden die Häufigkeit ihres Einsatzes und die Kombination der stilistischen Mittel über die Etablierung einer insgesamt eher subjektiven oder überwiegend allwissenden Erzählung. ›Allwissend‹ bedeutet beim Film aber nicht Verzicht auf einzelne Perspektiven. Im Gegenteil: Gerade dadurch, dass die meisten Filme multiperspektivisch erzählen, erscheinen sie in der Summe als eine allwissende Erzählung. Schnelle Wechsel zwischen verschiedenen Blickwinkeln sorgen für Intensität und Dynamik des Filmerlebnisses. Ständige Umschnitte bei einer Verfolgungsjagd vom Jäger zum Gejagten oder die wechselnde Sicht auf Täter und Opfer bei einer Bedrohungssituation können das Publikum besonders intensiv an die Darstellung fesseln.

Das Spektrum der möglichen Perspektiven ist groß, und es ist kaum sinnvoll, feste Kategorien aufzustellen. Jeder Film nutzt die narrativen Möglichkeiten nach Vorgabe des eigenen Sujets. Inhalt, Technik und Wirkung sind auch hier eng verzahnt.

Exposition

In der Literatur spielen die ersten Sätze, der erste Absatz, der erste Akt eines Textes eine sehr große Rolle. Die Exposition setzt die Grundstimmung, führt Personen und Situationen ein und gibt oft konkrete Hinweise auf eine mögliche Entwicklung, vielleicht sogar schon auf das Ende. Der Prolog im antiken Drama, die Naturschilderung der ›gehobenen Literatur‹, der Blitz- und Donnereffekt in der Actionliteratur sind wichtige Elemente, um den Leser zu fesseln. Genauso ist es beim Film.

Zunächst einmal ist aus wahrnehmungspsychologischer Sicht die Aufmerksamkeit in den ersten Minuten besonders hoch. Ob der Film mit einem Paukenschlag beginnt oder seine Welt in Ruhe aufbaut, am Anfang wird die atmosphärische Grundstimmung etabliert. Das wissen die Filmemacher. Deshalb bemühen sie sich, mit den ersten Einstellungen eine Sogwirkung zu erzielen, die uns in das Geschehen hineinzieht und bis zum Schluss nicht mehr loslassen soll.

Da im Film alles sorgfältig geplant und nichts zufällig ist, sind es gerade die mehr oder weniger deutlichen Zeichen und Signale, auf die es zu achten gilt. Zuschauerinnen und Zuschauer erhalten zu Beginn eines Films viele Informationen. Und wie bei der literarischen Rezeption haben jene einen größeren ästhetischen Genuss, die über das notwendige filmanalytische Instrumentarium verfügen und in der Lage sind, die Informationen, die Zeichen, Symbole und Motive zu ›lesen‹. Einer bedeutungstragenden filmischen Exposition muss nicht unbedingt die Titelsequenz (Vorspann) vorausgehen.

Prolog – Pre Credit Sequence

Der eigentlichen Handlung kann eine Vorgeschichte (*Pre Credit Sequence*) vorangestellt sein, die vor der Titelsequenz erzählt wird. Sie findet sich vor allem im Kriminal-, Horror- und Actiongenre. Als spannungsgeladene Prologe gehen solche Vorgeschichten häufig auf zurückliegende Ereignisse ein, die Ursache oder Motivation für die folgende Handlung sein können. Häufig besteht die Pre Credit Sequence aus einer in sich geschlossenen Szene. Ihre besondere Stellung kann durch die Verwendung eines anderen Filmmaterials (z. B. Schwarzweißfilm) signalisiert werden.

Nahezu alle Prologe enden mit einem Knalleffekt und haben die Funktion eines ersten dramaturgischen Höhepunkts.

Titelsequenz – Credit Sequence

Ungefähr bis Ende der vierziger Jahre wurde die Titelsequenz (*Credit Sequence*) als Vorspann, die außer dem Filmtitel die wichtigen Mitarbeiter- und Darstellernamen aufzählt, deutlich vom Film getrennt. Farbgebung und Typografie waren dabei auf größtmögliche Lesbarkeit hin gestaltet, wie weiße Schrift auf schwarzem Grund. Später wurde die Schrift zunehmend in das bewegte Bild einkopiert. Für die filmische Dramaturgie bedeutete dies zunächst, dass die visuelle Information nicht zu differenziert sein durfte, da das Publikum zwei unterschiedliche Quellen (Text und Bild) zu verarbeiten hatte. Seit Mitte der fünfziger Jahre wird die Titelsequenz als eigenständige ästhetische Szene konzipiert.

Zu den ersten Künstlern, die den Vorspännen ein eigenes Design gaben, gehörte Saul Bass. Er entwarf von 1954 (*Carmen Jones*) bis 1995 (*Casino*) meist grafisch animierte, abstrakte, minimalistische und ungeheuer plakative Titelsequenzen, die sich zu einem Qualitätssignum entwickelten. Berühmte Regisseure, wie Otto Preminger, Alfred Hitchcock und Martin Scorsese, arbeiteten mit Bass lange Zeit zusammen, sodass ihre Filme durch den Vorspann eine Art Corporate Identity erhielten. Auch in Kinoreihen wie *Der rosarote Panther* und *James Bond* entwickelten sich die Titelsequenzen zu Markenzeichen.

Für das zeitgenössischen Kino arbeiten zahlreiche eigenständige Titeldesign-Agenturen an der künstlerischen Vorspanngestaltung. Ein besonders gelungenes, aktuelles Beispiel bietet der amerikanische Thriller *Sieben* (1995).

In Collagentechnik zeigt die Titelsequenz einzelne Handlungen und Vorbereitungen eines Serienkillers, um den es im Film gehen wird. Schnelle Schnitte, Überblendungen, Spiel mit Typografie (Buchstaben tauchen in loser Reihenfolge auf, Wörter formen sich) und Filmmaterial (es weist Kratz- und Schnittspuren auf, die Darsteller- und Mitarbeiternamen werden Teil der Collage) üben eine suggestive Kraft auf die Zuschauerinnen und Zuschauer aus. Dass der Vorspann auf die Taten des Mörders weist, erschließt sich dem Publikum erst im Verlauf der Handlung. Doch wird durch diese Titelsequenz schon eine eigentümliche, bedrohliche Grundstimmung erzeugt. Immer wieder tauchen die Signalfarben Rot und Schwarz auf; jemand näht merkwürdig gelbliches transparentes und dicht beschriebenes Papier langsam und sehr sorgfältig zusammen (Abb. 32).

32 »Sieben« (USA 1995, David Fincher): Titelsequenz als wichtiger Bestandteil der Exposition

Die Aneinanderreihung von Detailaufnahmen verhindert den erklärenden Blick auf die Gesamtsituation. Es wird genäht, zerschnitten, zerkratzt – irgendetwas Unangenehmes vorbereitet. Insgesamt kündet die Titelsequenz schon von der sorgfältigen und planvollen Arbeit des ›großen Unbekannten‹ und von dessen brutaler und zerstörerischer Kraft (Nadel, Schere, Schneiden, Reißen etc.).

Diese Titelsequenz war so erfolgreich, dass sie wenig später im multimedialen Verbundsystem aufgegriffen und zitiert wurde: Entsprechend modifiziert tauchte ihr spezifisches Design in der Werbung für Jeansmarken, in aktuellen Mystery-Fernsehserien und zuletzt in dem deutschen Spielfilm *Bandits* (1997) auf.

Ähnliche Hinweise auf die Handlung liefert die Titelsequenz von Anthony Minghellas *Der englische Patient* (1996). Als Erstes ist ein gelbes Bild zu sehen, dann schwarze Pinselstriche, die zunächst rein figurative Darstellungen assoziieren und an Schriftzeichen erinnern oder auch an Höhlenmalereien. Dazu hören wir arabisch beeinflusste Musik. Allmählich formen die Zeichen sich zu einem Bild: einem Frauenkörper auf gelblichem groben Papier. Es folgt die Überblendung in die Filmhandlung, die zunächst die figurative gelbliche Linienführung aufnimmt und dann als Flug über eine Wüste erkennbar wird. Genauso wie sich die Geschichte des Films erst nach und nach erschließt, verändert sich in der Titelsequenz das Gezeigte. Erst allmählich wird das Bild deutlicher. Der Vorspann nimmt insofern die Dramaturgie des Films vorweg.

Wenn auch eigenständig in ihrer formalen Struktur, zeichnen sich gute Titelsequenzen gerade dadurch aus, dass sie die Absicht der Regisseurin/des Regisseurs und die Stimmungslage des Films in ihrer jeweiligen grafisch-visuellen Gestaltung unterstützen.

Eröffnungsszene – Establishing Scene

Im Unterschied zum Establishing Shot, der in der ersten Einstellung einer Sequenz die wichtigsten Informationen über Handlungsort, -zeit und gegebenenfalls Personen mithilfe einer Totalen oder Halbtotalen liefert, handelt es sich bei der Eröffnungsszene (*Establishing Scene*, auch *Opening*) um die gesamte Anfangssequenz des Films nach der Vorgeschichte und dem Vorspann. Sie könnte auch als erstes Kapitel (Sequenz) eines Films definiert werden.

Aufwendige Kamerabewegungen, wie Kranfahrten oder Steadicambewegungen, häufig in Verbindung mit einer Plansequenz, sind mitterweile konventionalisierte technische Kennzeichen der Eröffnung. Sie üben eine besondere Sogwirkung aus, ziehen das Publikum ins Geschehen, machen es neugierig. Wie schon mehrfach erwähnt, bezwecken die meisten Expositionen größtmögliche Information. Dabei ist die häufigste Variante die der Einführung ohne Abschweifungen.

Deduktive Exposition

Ein klassisches Beispiel einer Eröffnung bietet Hitchcocks *Psycho*. Der Thriller beginnt mit einer Panorama-Kamerafahrt über die Skyline einer mittelgroßen Stadt und bewegt sich dann auf ein Hotel zu. Folgende Einblendungen sind zu lesen:»Phoenix, Arizona«,»Freitag, 11. Dezember« sowie »14.43 Uhr«. Die Kamera nähert sich einem bestimmten Fenster, dessen Jalousien geschlossen sind. Schnitt. Im Hotelzimmer werden wir Zeuge, wie ein Liebespaar über seine Zukunftsperspektiven diskutiert. Dabei fällt der scheinbar beiläufige Satz:

MARION CRANE Wir können auch zusammen essen. Aber bei mir zu Hause. Wenn es dich nicht stört, dass das Bild meiner Mutter an der Wand hängt […].

Handlungsort (Phoenix, Arizona), Handlungszeit (Freitag, 11. Dezember, nachmittags, Gegenwart) und Personen (das Liebespaar) werden mustergültig eingeführt. Sowohl die Bewegungsrichtung der Kamera (Stadtpanorama, Hotel, Hotelfenster, Hotelzimmer, Liebespaar) als auch die schriftlichen Inserts verfahren nach dem Muster der deduktiven Informationsvermittlung (vom Allgemeinen zum Speziellen) und führen optimal ins Geschehen ein.

Darüber hinaus wird aufmerksam Zuschauenden in dieser Eröffnung noch ein konkreter Hinweis auf den weiteren Verlauf des Films gegeben. Der Satz über das Bild der Mutter an der Wand verweist auf das zentrale Motiv des Films. Die psychopathologische Beziehung zur Mutter ist Ursache für die Mordserie des Protagonisten Norman Bates, die wiederum in einem Motelzimmer beginnen wird. Dass dabei gerade die in der Anfangsszene als konkrete Identifikationsfigur eingeführte Marion Crane das erste Opfer des Psychopathen sein wird, ist eine typische Hitchcock'sche Finesse und bricht mit der Konvention, dass die Identifikationsfigur bis zum Schluss eines Films agiert.

Das folgende Beispiel für eine deduktive Exposition stammt aus dem Film *Die Waffen der Frauen* (1988), in dem der Aufstieg einer einfachen Sekretärin in eine leitende Position innerhalb der Büro-Arbeitswelt Manhattans geschildert wird. Die Darstellung dieser Karriere folgt ganz dem amerikanischen Diktum: ›You can make it!‹

Die Exposition ist als Plansequenz konzipiert. Sie beginnt mit einer Großaufnahme vom Kopf der Freiheitsstatue (Symbol der Freiheit und deutlicher Hinweis auf den Handlungsort New York City). Die Kamera umkreist die Statue – realisiert mithilfe eines Hubschraubers (alles dreht sich um die Freiheit) –, fängt zunächst ihren Kopf in einer Großaufnahme ein (Abb. 33a) und zieht dann die Brennweite bis hin zur Panoramaeinstellung auf. Zu sehen sind der Himmel, die Skyline von New York und eine Fähre (Abb. 33b) auf dem Weg nach Manhattan (Handlungszeit, Personengruppe der Berufspendler, Manhattan als Inbegriff der Büro-Arbeitswelt). Die Kamera fokussiert in langsamer Hinfahrt das Fährboot (Abb. 33c). Durch die Kamerabewegung von der Freiheitsstatue zur Fähre wird zugleich eine inhaltliche Verbindung vom Freiheitsbegriff zur Arbeitswelt geschaffen. Die Morgenstimmung erhält in diesem Kontext Signalcharakter (Beginn des Tages, Beginn der Erzählung, Beginn von etwas Neuem, Aufbruchstimmung). Deutlich verstärkt wird die Gesamtatmosphäre durch die Tonspur. Die Musik, im Abspann mit *Jerusalem Song* betitelt, enthält die emblematischen Begriffe »Let the River Run«, »Wake the Nation«, »The New Jerusalem«, »Silver City«, »Sons and Daughters« und ist als euphorische Hymne instrumentiert.

Immer dichter fährt die Kamera an die Fähre heran, die seitlichen Fensterreihen sind deutlich zu sehen. Und nach einer (kaum wahrnehmbaren) Überblendung befindet sie sich im Inneren der Fähre, fährt in gleich bleibender Bewegungsrichtung und Geschwindigkeit an der Masse der Berufspendler vorbei, um schließlich vor zwei Frauen zu enden (Protagonistinnen). Ihre eher unscheinbare Kleidung lässt darauf schließen, dass sie dem Berufsfeld der unteren oder mittleren Angestellten angehören (ohne Abb.). Die rechte, die rothaarige Frau hält ein kleines Törtchen mit drei brennenden Kerzen hoch und singt: »[…] liebe Tess. Happy Birthday to You!« Die blonde Tess hat Geburtstag. Durch die Namensnennung wird eine der beiden Darstellerinnen exponiert. Sie also ist die Hauptdarstel-

33a–c »Die Waffen der Frauen« (USA 1988, Mike Nichols): Deduktive Exposition

lerin und die Identifikationsfigur. Die Verbindung zwischen dem Frauen-kopf der Freiheitsstatue und der Hauptdarstellerin ist somit vollzogen. Ihr Geburtstag passt in den Kontext des Aufbruchs, denn auch hierbei handelt es sich um den Beginn eines neuen Abschnitts. Und im weiteren Verlauf des Films vollzieht sich an ihrem Schicksal der amerikanische Traum von einer rasanten Karriere.

Die Exposition beantwortet beispielhaft die Fragen nach dem Wo?, Wann?, Wer? und Was?. Einstellungsgrößen, Kamerabewegung, Farbge-staltung und Musik evozieren eine positive, optimistische Grundstim-mung, die den gesamten Film durchzieht. Zuschauerinnen und Zuschauer erhalten zu Beginn wichtige Hinweise, die sie über den Fortgang der Ge-schichte in Kenntnis setzen.

Am Ende des Films unternimmt die Kamera die gegenläufige Bewe-gung der Exposition: Aus dem Bürofenster der zur erfolgreichen Mana-gerin aufgestiegenen Tess fährt sie zurück, fängt die Skyline Manhattans ein und bewegt sich immer weiter weg vom Zentrum des Geschehens. Damit wird gleichzeitig die Möglichkeit dieser modernen Aschenputtel-Geschichte verallgemeinert und als Projektionsfläche angeboten.

Induktive Exposition

Die Bewegung vom Besonderen zum Allgemeinen kann auch in der Er-öffnungsszene benutzt werden, ohne dabei weniger Informationen und Hinweise zu liefern, als das bei der deduktiven Methode der Fall ist. Ein formales und inhaltliches Gegenbeispiel zu *Die Waffen der Frauen* ist *Fal-ling Down – Ein ganz normaler Tag* (1993), in dem ein Abstieg in der ameri-kanischen Arbeitswelt geschildert wird. An der Figur des in Beruf und Ehe gescheiterten William Foster (alias D-Fens, so sein Autokennzeichen) werden die Kehrseiten des ›amerikanischen Traums‹ vorgeführt.

Der Film folgt der Hauptfigur auf ihrer Odyssee durch ein Los Angeles, das von Bandenkriegen, Rassismus, Armut und Gewalt geprägt ist. William Foster lebt in einer aus Lebenslügen aufgebauten Scheinwelt. Weder seine Mutter, bei der er seit seiner Scheidung wohnt, noch seine ehemalige Familie wissen, dass er aus der Firma Notec, einem halbstaatlichen Unternehmen für Militärprodukte, entlassen wurde. Frau und Kind darf er per Gerichtsentscheid nicht mehr besuchen, da er wegen seiner plötzlichen aggressiven Ausbrüche zur Bedrohung wurde. Dennoch will er mit allen Mitteln am Geburtstag seiner Tochter – dem Handlungstag des Films – zurück zu »seiner Familie«.

Genauso wenig wie Foster die eigene psychische Instabilität akzeptiert, genauso wenig findet er sich in der amerikanischen Realität der neunziger Jahre zurecht. Seine regressive und rückwärts gewandte politische Haltung offenbart er unmittelbar im Anschluss an die Exposition in einem koreanischen Geschäft. Dort verfügt Foster, nachdem er den Laden mit einem Baseballschläger wutentbrannt demoliert hat: »Ab sofort gelten die Preise von 1965!«

Im Folgenden wird gezeigt, wie genau in der Exposition Geschichte und Charakterisierung des Antihelden angelegt sind – seine Wahrnehmung der Gesellschaft, aber auch seine inneren Befindlichkeiten, das Gewaltpotential, die Triebunterdrückung und das gebrochene Verhältnis zu Frauen und zu Kindern.

Auch dieser Film wird eröffnet durch eine Plansequenz. Zunächst ist nur Schwarz zu sehen. In einer Rückwärtsbewegung werden Schemen von Zähnen, Lippen, ein geöffneter Mund sichtbar. Die Kamera tastet das Gesicht eines schwitzenden und heftig atmenden Mannes ab, bewegt sich von seinem Kopf weg und zeigt weitere Einzelheiten: Der Mann sitzt fest angeschnallt in einem Auto, trägt eine altmodische Brille und ein kurzärmeliges, weißes Oberhemd mit einer korrekt sitzenden dunklen Krawatte (Abb. 34a). Die Kamera fährt weiter zurück: In seiner Hemdtasche stecken viele Stifte. Der Haarschnitt ist kurz. Erste Vermutungen über Arbeitswelt und Charakter des Protagonisten können geäußert werden: Büroangestellter, korrekt/diszipliniert oder eng/konservativ; Brille, Hemd und Haarschnitt entsprechen dem Angestelltenbild der sechziger Jahre. Die Tatsache, dass die Kamera aus dem Schwarz, dem Mund, herausfährt, konstituiert die Perspektive, aus der der Film in dieser Eingangssequenz erzählt. Es ist die Innenperspektive des Protagonisten. Wir nehmen die Welt also aus seiner Sicht war. All das, was wir im Folgenden sehen, kann also als Mindscreen-Erzählweise bezeichnet werden.

Auf der Tonspur setzt eine bedrohliche Musik ein, gepaart mit laufenden Motorengeräuschen und Radiostimmen. Der Blick der ›suchenden‹

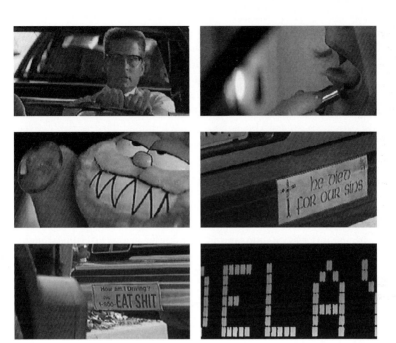

34a–f »Falling Down« (USA 1993, Joel Schumacher): Induktive Exposition

Kamera erfasst weitere Details: ein Aufkleber auf der Frontscheibe seines Autos (»NOTEC, 92« – ein Firmen-Parkausweis), das Heck des vor ihm stehenden Autos (er steht im Stau). Da der Film, wie wir später erfahren, im Jahr 1993 spielt, wird klar, dass die Parkerlaubnis nicht verlängert wurde, also hier der erste konkrete Hinweis auf den verlorenen Job inszeniert ist. Auf dem Rücksitz des Vorderautos sitzt ein Mädchen mit einer Puppe. Es schaut ihn an. Die direkte Verbindung von bedrohlicher Musik, chaotischer Geräuschkulisse und dem Kind, das ihn anblickt, drückt zugleich auch eine psychische Verbindung aus. Der Bedrohungscharakter der Musik und der Geräusche in Bezug auf das Kind liefert den nächsten Hinweis auf die charakterliche Disposition des Fahrers.

Das nächste Bild zeigt das Nebenauto. Eine Frau schminkt ihre Lippen (Abb. 34b), im hinteren Fenster ist eine Garfield-Puppe angebracht, die den Protagonisten gehässig angrinst (Abb. 34c). Dann sehen wir einen Schulbus voll lärmender Kinder. Unter den Fenstern des Busses hängt schlaff die amerikanische Nationalflagge.

Die bedeutungstragenden Bilder – Lippen schminkende Frau, Garfield, lärmende Schulkinder und Nationalfahne – manifestieren ein mehrdeutiges Beziehungsgeflecht. Das Schminken der Lippen als sexuelles Symbol ist ein neuer Aspekt in der Wahrnehmungswelt des Protagonisten. Einerseits könnte die direkte Verbindung mit dem böse grinsenden Kater Garfield – einer beliebten Comicfigur – Vermutungen über das Verhältnis des Fahrers zu Frauen auslösen. Andererseits kann die Figur des Garfield auch als darüber hinaus weisender Kommentar gelesen werden. Denn im Gegensatz zu den klassischen Comicfiguren handelt es sich bei dem Kater um einen äußerst unangenehmen Zeitgenossen. Er ist fett, faul und gefräßig, nervt seine Umwelt mit zynischen und bitterbösen Bemerkungen und stellt gewissermaßen das Gegenkonzept zu netten, kuscheligen Tierchen oder den positiven Comicfiguren im Umfeld von Mickey Mouse dar. Gerade in der Verbindung zur amerikanischen Nationalflagge etabliert der Regisseur hier eine weitere Ebene, die auch als eine Zustandsbeschreibung des Status quo interpretiert werden kann: Die Flagge steht für das Land, der Kater für die Grundstimmung. Darüber hinaus hängt die Flagge schlaff den Bus herunter und ist auch nur in Ausschnitten zu sehen. Eine im Wind flatternde Fahne wirkt natürlich ganz anders.

Im Anschluss daran sehen wir gestresste Geschäftsmänner. Einer telefoniert: »Es geht nicht vor und zurück.« Nach dieser doppeldeutigen akustischen Information führt uns die Kamera wieder ins Auto des Mannes. Sie zeigt ihn von hinten. Auf der Tonspur kommen Fliegengeräusche dazu, auf der Musikebene akzentuieren einzelne Trommelschläge und Streicher die Szene. Die Tonspur wird lauter und bedrohlicher.

Es folgt der erste Schnitt. Eine Reihe von Einzelbildern (Point of View Shots) zeigen aus der verzerrten Perspektive des im Stau Stehenden: Garfield (Groß), die Frau, wie sie sich lasziv schminkt (als Detail im Außenspiegel), die sich vor ihm stauenden Autos und rote Baustellenschilder und -fahnen (Halbtotale), ein Mann mit schwarzer Sonnenbrille, der sich aus dem Autofenster lehnt und ihn bedrohlich anschaut (Nah), die Spiegelung gelber Hinweiszeichen auf seiner Frontscheibe (Detail). Die Signalfarben Rot, Gelb und Schwarz und die zunehmend bruchstückhafte und isolierte Wahrnehmung des Fahrers konstituieren die unmittelbare Außenwelt als bedrohlich.

Anschließend sehen wir, noch detaillierter, eine Folge schriftlicher Informationen: »Financial Freedom«, »He died for our sins« (Abb. 34 d), »How am I driving? Eat shit!« (Abb. 34 e) – sämtlich Autoaufkleber und Kennzeichen. Die Musik steigert sich zu einem lauten Stakkato. Die beiden ersten Aussagen manifestieren die ideologischen Grundpfeiler der amerikanischen Gesellschaft: Wohlstand und Religion. Die dritte Aussage unterstreicht den aggressiven Grundton.

Die Situation im Auto wird unerträglich. Die Innentemperatur steigt.

Der Fahrer versucht, seine Klimaanlage in Gang zu bringen. Auf der Anzeige liest man »Economy«. Das Fenster lässt sich auch nicht herunterkurbeln, der Fensterheber ist defekt – eine nervöse Situation, die durch die vielen ikonographischen Zeichen metaphorischen Charakter erhält (z. B. als Kommentar zur wirtschaftlichen Situation des Landes). Erneute fruchtlose Anstrengungen des Fahrers, eine Fliege zu verscheuchen. Seine Nerven sind sichtlich strapaziert. Wieder fällt sein Blick auf die roten und gelben Signale der Baustellenzeichen. Auf der Tonspur hört man das Klicken der elektronischen Signaltafeln. In gelber Schrift ist dort »Delay« [Verspätung] zu lesen. Diese Information baut sich immer neu auf, wird permanent wiederholt. Aus der Perspektive des Fahrers wirken die Informationstafeln gigantisch (Abb. 34 f). Die Schriftzeichen werden in schneller Einstellungsfolge immer größer gezeigt, bis das Wort »Delay« nicht mehr zu lesen ist, sondern nur noch die Fragmente des elektronischen Signals. Diese Abstraktion des konkreten schriftlichen Zeichens entspricht der Wahrnehmung des Mannes. Die Dinge verlieren ihren Sinnzusammenhang, die konkrete Welt um ihn herum löst sich auf, geht verloren.

Komplexe Kamerafahrten, eine differenzierte Montage und deutliche Farbsignale konstituieren in der Kombination mit den ›sprechenden‹ Texten von der Freiheit durch Geld, vom Kreuzigungstod und der Sündenvergebung, von Gewaltbereitschaft und (nicht funktionierendem) Wirtschaftssystem ein komplexes Beziehungsgeflecht, in das der Antiheld unentrinnbar verkettet ist. Der aussichtslose Kampf mit der Fliege ist Ausdruck seiner aussichtslosen Situation.

Die Grundsituation des Staus spiegelt drei Ebenen: den tatsächlichen Autostau, den Triebstau im Innern des Antihelden sowie den Kommentar des Regisseurs auf die amerikanischen Binnenverhältnisse des Jahres 1993.

Nachdem Musik und Geräusche bis ins Unerträgliche gesteigert und mittels schneller Montage nochmals alle Bilder in Detailaufnahmen aneinander gereiht worden sind, schließt die Sequenz mit der ›Flucht‹ des Fahrers. Er öffnet die Autotür, steigt aus – schlagartig enden Musik- und Geräuschkakophonien – und geht weg. Gleichzeitig entfernt sich die Kamera von ihm in entgegengesetzter Richtung. Erstmals sehen wir sein Auto. Auf dem Kennzeichen ist deutlich »D-Fens« zu lesen. Diese letzte visuelle Information der Exposition assoziiert deutlich das Wort ›Defence‹, dessen semantische Bedeutung sowohl die der militärischen Verteidigung umfasst wie eben auch den Schutz- und Bewahrungsaspekt enthält. Beides konkrete Verweise auf Fosters Situation (die ehemalige militärische Arbeitsstelle, seine Rollenauffassung vom behütenden Vater und die Sehnsucht nach vergangenen Zeiten). Auf die Frage eines aufgebrachten Autofahrers, wo er hingehe, antwortet er ruhig: »Ich gehe nach Hause.« Die gegenläufige Kamerabewegung entfernt das Publikum vom Protagonisten, die Erzählperspektive wechselt von der Mindscreen-Sicht in die auktoriale.

Der Mann wird im Folgenden versuchen, sein konservativ-idealisiertes Bild von der amerikanischen Nachkriegsgesellschaft mit Gewalt durchzusetzen. Dazu gehört der zwanghafte Wunsch, ein Familienidyll herzustellen. Letztlich bedroht er seine Frau, entführt die Tochter und wird schließlich von der Polizei erschossen.

Diese induktive Exposition enthält alle wichtigen Informationen über Vorgeschichte, psychische Instabilität des Hauptdarstellers und weiteren Verlauf der Geschichte. Auch ohne den Gesamtzusammenhang des Films zu erschließen, handelt es sich um eine eigenständige hochkomplexe Erzählung.

Anfangssequenzen sind im Film besonders exponierte Teile der Erzählung. Wie in der Literatur gibt es verschiedene stilistische Möglichkeiten der Einführung. Das hier vorgestellte Gegensatzpaar – *Die Waffen der Frauen* und *Falling Down* – hat gezeigt, wie unterschiedliche Expositionen ein Höchstmaß an Informationen und Vorausdeutungen bieten. Bewusst wurden zwei Beispiele des so genannten Mainstream-Hollywoodkinos gewählt, um deutlich zu machen, dass es nicht unbedingt ambitionierter Kunstfilme bedarf, um Erzählstrategien des Films deutlich zu machen.

Exkurs: Literaturverfilmung

Literaturverfilmungen gehören spätestens seit der Einführung des Videorekorders zum festen Bestandteil des Unterrichts. Aber wie sah die Beschäftigung mit der filmischen Adaption in der Regel aus? Am Ende einer Unterrichtseinheit zu einem literarischen Werk – die Klausuren sind vielleicht schon geschrieben – wird der Film ›nachgeschoben‹. Im Anschluss an diese ›Rezeption‹ – unter Umständen haben 25 Schülerinnen und Schüler auf einen kleinen Monitor gestarrt – steht das Urteil meist schnell fest: Der Film sei schlechter als das Buch.

Da entsprächen einzelne Figuren nicht den eigenen Vorstellungen, andere fehlten ganz, wichtige Motive habe der Regisseur gar nicht erst berücksichtigt, und die Seiten 32 bis 75 seien in der Verfilmung einfach ausgespart, wo doch ohne die dort entwickelte Symbolwelt die Interpretation nicht zu leisten sei! Insgesamt sehe man wieder mal bestätigt, dass die Literaturverfilmung aufgrund ihres Zwangs zu Verkürzung und Verknappung den wahren Sinngehalt der Vorlage nie erreichen könne.

Was hier vielleicht etwas überspitzt formuliert sein mag, gehört in der einen oder anderen Variation dennoch zu den üblichen Unterrichtsergebnissen, die in der Regel buchbestimmt sind und den Medienwechsel ignorieren.

Dieses Buch will Hilfestellungen für die Beschäftigung mit dem Medium Film bieten. Insofern ist hier nicht der Platz, im Einzelnen auf die zahlreichen Probleme einzugehen, die im literaturwissenschaftlichen Diskurs zur filmischen Adaption auftauchen. Angesichts der Tatsache, dass genau genommen mindestens zwei Drittel aller gedrehten Filme auf literarischen Vorlagen basieren, würde allein die Klärung des Begriffs ›Literaturverfilmung‹ einen breiten Raum beanspruchen. Dennoch soll an zwei kurzen Beispielen aus Verfilmungen von Texten, die zum schulischen Kanon gehören – *Tod in Venedig* und *Effi Briest* –, gezeigt werden, wie medienspezifische Textaneignung aussehen kann.

»Tod in Venedig«

Thomas Manns Novelle *Tod in Venedig* (1912) – eines seiner Schlüsselwerke mit deutlichen autobiografischen Zügen – wurde 1970 von Luchino Visconti verfilmt. Im ersten Kapitel (↗ S. 40) haben wir auf die ausgeklügelte Farbdramaturgie hingewiesen, die Visconti als Entsprechung für die zentralen Motive der Erzählung einsetzt. Weiß repräsentiert die Unschuld; Eros (die Liebe zum Knaben, die natürlich nicht sein darf) und Tod (innere Krise = Schaffenskrise, äußere Krise = Cholera) werden durch Rot und Schwarz symbolisiert.

In der Einstellung auf Abbildung 35 sehen wir Aschenbach, links vorn, und Tadzio, rechts hinten. Ein Freund hat sich gerade von Tadzio verab-

35 »Tod in Venedig« (I 1970, Luchino Visconti): Mise en Scène – Aschenbach im Gefängnis seiner Begierden

schiedet und geht auf dem Teppich, der beide Protagonisten voneinander trennt, sozusagen den räumlichen Grenzbereich darstellt. Während Tadzio einen roten Badeanzug mit weißem Sonnenhut trägt und lasziv an einem Pfosten lehnt, steht Aschenbach in steifer, fast erstarrter Haltung und beobachtet die Szenerie. Auf seinem weißen Sonnenhut tritt das breite schwarze Band deutlich hervor, unter dem Arm trägt er eine schwarze Aktentasche. Haare und Bart hat er sich tags zuvor beim Barbier schwarz färben lassen. Tadzios Freund trägt einen schwarzen Badeanzug und hat ein weißes Badetuch über die rechte Schulter geworfen. Der inszenierte Raum wird seitlich durch die beiden Pfeilerreihen begrenzt, die die Sonnenmarkise tragen. Den oberen Bildrand engen Sonnenmarkise, den unteren der rote Teppich ein. Es gibt keinen freien Ausblick auf den Strand und das Meer. Das ist während des gesamten Films so: Kommt das Meer ins Blickfeld, sehen wir lediglich eine milchig-trübe Helligkeit. Der trübe Himmel fungiert als eine dritte Wand, die den hinteren Bildraum eingrenzt. Visconti lässt keinen klaren Blick zu. Es gibt keine Aussicht – im doppelten Wortsinn.

Tadzio übt eine homoerotische Faszination auf Aschenbach aus, der sich für ihn sogar verjüngt hat. Nun stellt er ihm nach, hält jedoch immer eine gewisse räumliche Distanz ein. Beider Körpersprache kündet von ihren Charakterzügen: hier der steife, handlungsscheue Erwachsene, dort der Knabe, der, im Bewusstsein der Zuneigung des anderen, mit ihm kokettiert. Der rote Teppich markiert den Bereich des Erotischen, Verbotenen. Aschenbach steht in einem kleinen weißen Feld, das unmittelbar vor ihm endet. Die Fläche, auf der Tadzio steht, ist dagegen unbegrenzt. Aschenbach hat nur die Wahl, umzukehren oder den Bereich des Teppichs zu betreten. Tadzios Freund ist der Einzige, der sich in diesem Bild bewegt. Er läuft über den roten Teppich in Richtung Aschenbach und schafft so die Verbindung zwischen dessen Begierde und Tadzios erotischer Ausstrahlung, die – das signalisiert der schwarze Badeanzug – tödlich enden wird. Der Tod kündigt sich in der Einstellung aber auch anderweitig an. Aschenbachs Kleidung, Haarfarbe und Requisite (Aktentasche) sind tiefschwarz. Er trägt den tödlichen Choleravirus schon in sich. Die Überschrift zu diesem Filmbild könnte lauten: ›Aschenbach im Gefängnis seiner Begierden‹.

In nur einem Bild fallen Motivstränge, innere Befindlichkeit und Vorausdeutung zusammen. Visconti inszenierte konsequent die »Dinge, die nie passieren dürfen und doch passieren«, wie es an einer Stelle der Novelle heißt. Die Bildbeschreibung zeigt, dass der Sinngehalt des Textes durch eine mediumspezifische Visualisierung kongenial übersetzt wurde.

»Effi Briest«

Theodor Fontanes Meisterwerk, 1895 erschienen, ist viermal filmisch adaptiert worden – ein Glücksfall für die Beschäftigung mit dem Medium Film. Zum einen liegen damit vier völlig verschiedene Lesarten ihrer jeweiligen Regisseure/Autoren vor (Gustav Gründgens: *Der Schritt vom Wege*, 1939; Rudolf Jugert: *Rosen im Herbst*, 1955; Wolfgang Luderer: *Effi Briest*, 1968; Rainer Werner Fassbinder: *Fontane Effi Briest*, 1974). Zum anderen sind sie zu unterschiedlichen Zeiten und unter unterschiedlichen Produktionsbedingungen realisiert worden (NS-Film, Film der Adenauer-Zeit, DEFA-Großfilm und Avantgardefilm der sozialliberalen Ära). Die Adaptionen zeigen deutlich, dass es die ›einzig wahre‹ Literaturverfilmung nicht gibt, nicht geben kann! Ebenso wie die literarische erfolgt auch die filmische Rezeption nicht losgelöst vom gesellschaftspolitischen und produktionsästhetischen Umfeld, und eine Verfilmung ist nicht mehr und nicht weniger als eine visuelle Interpretation, die eingeht in die Rezeptionsgeschichte eines literarischen Werkes.

Rainer Werner Fassbinder, der verantwortlich zeichnet für die bislang letzte Verfilmung, erzählt in stark stilisierten Schwarzweißbildern. Er verzichtet auf jeglichen Effekt, der ablenken würde von seinem Interpretationsansatz, den Druck einer antagonistischen Gesellschaft und ihrer überkommenen Moralvorstellungen auf die Systemträger aufzuzeigen.

In der Szene, auf die wir hier näher eingehen wollen, hat Effi gerade ihre erste Nacht in Kessin verbracht. Gewitter, Alpträume und unheimliche Geräusche haben ihr schwer zu schaffen gemacht. Fassbinder inszeniert nun weder diese Nacht, die ihm ja bestes Gruselmaterial geliefert hätte, noch bebildert er das Chinesenmotiv – wie es die Vorgänger mithilfe einer Porzellanfigur (Gründgens, Jugert) beziehungsweise eines grimmigen Kriegergemäldes (Luderer) getan haben.

Im Gegenteil: Dieses Bild ist das erste überhaupt, das Effi in ihrer neuen Umgebung Kessin zeigt. Fassbinder schilderte keine Hochzeitsfeierlichkeiten, keine Reiseimpressionen und auch keine Ankunft.

Abbildung 36 zeigt Effi in einer Halbtotalen ganz klein am unteren Bildrand, mit dem Rücken zum Betrachter. Sie berichtet ihrem Mann von der letzten Nacht. Dabei sehen wir beide nur im Spiegel. Das solchermaßen eingeengte Bild steckt voller Bedeutung. Rechts und links des Spiegels sehen wir geschmiedete Efeuranken. Fassbinder, der mit den Symbolen spielt, verwendet Efeu als Sinnbild der Treue (Efeu umrankte auch das Holzgestell von Effis Schaukel). – Hier erfährt das Symbol seine erste Brechung, indem ein schweres dunkles Ölgemälde den linken Teil bedeckt: Vorausdeutung und erste Erklärung für den später erfolgenden Ehebruch.

36 »Fontane Effi Briest« (BRD 1974, R. W. Fassbinder):
Mise en Scène – Effis Position in Hohen-Cremmen und
der Einsatz von Symbolen

Auf der rechten Seite, im Bildvordergrund und gedoppelt, steht das
Hausmädchen Johanna. Sie fungiert in Fassbinders Version als Stellver-
treterin Innstettens, die das gesamte System des Herrschafts- und Angst-
apparates verinnerlicht hat. Sie blickt streng in den Spiegel. Ihre Kleidung (bis zum Hals zugeknöpft, schwarz), ihre Körperhaltung (statuen-
haft, die Arme eng am Körper anliegend) und ihr ausdrucksloser, starrer
Blick verkörpern die zwei grundsätzlichen Systeme, die Effis und Innstettens Welt voneinander scheiden.

Effi, weiß gekleidet, mit offenem Haar und im Bild die niedrigste Position einnehmend, ist völlig eingerahmt: im Vordergrund durch Johanna,
im Hintergrund durch Innstetten und die Figur eines betenden Knaben.
Durch die optischen Begrenzungen und die Einengung der Figuren übt
Fassbinder einen visuellen Druck auf die Handlung aus. Die Personenchoreografie vor waagerechten und senkrechten Linien und innerhalb be-
grenzter Räume konstituiert eine Gefängniswelt, in der die Protagonisten agieren – ihre Welt ist vergittert. Für Effi heißt dieses Bild übersetzt:
›Kein Entrinnen!‹ Das Fensterkreuz (rechts oben im Spiegel zu sehen) ist
zugleich als Vorbote für das Ende zu interpretieren. Der betende Knabe
im Bildhintergrund ist Sinnbild für die Welt Innstettens, der gebetsmüh-
lenartig (und auch wider besseres Wissen) die Prinzipien der wilhelmini-
schen Gesellschaft vertritt. Der Spiegel ist gleichsam Ausdruck einer ver-
kehrten Welt, in der die Protagonisten nur als Schachbrettfiguren, nicht
als Individuen existieren, und er ist Kontrollinstanz eines immer anwe-

senden staatlichen Prinzips. Die Figuren blicken in den Spiegel, um sich ihrer Handlung zu vergewissern, sprechen in den Spiegel (nicht zu ihren Gesprächspartnern gewandt). Der Spiegel repräsentiert eine geschlossene Gesellschaft, die immer nur auf sich selbst blickt. Und schließlich drücken Spiegel- und Realbild die ambivalente bis schizophrene Haltung der Protagonisten aus, die – so Fassbinder – aus ihrem System ausbrechen könnten (sprich aus dem Spiegel), es aber nicht tun und so letztlich das Gesellschaftssystem stützen.

Natürlich gibt es gute und schlechte Literaturverfilmungen, genauso wie es gute und schlechte Filme gibt. Aber eine Beschäftigung mit der Literaturverfilmung muss die Eigengesetzlichkeit beider Medien berücksichtigen und darf nicht in einem erbsenzählerischen Text-Film-Vergleich bestehen. Nur eine Analyse der Bildgestaltung und der Montage, die dem Film als eigenständiges ästhetisches Kunstwerk mit einer eigenständigen Sprache Rechnung trägt, sowie die Berücksichtigung der unterschiedlichen Produktionsbedingungen ermöglichen die gerechte Beurteilung einer Adaption. Und führt erst dadurch auch zu einem vertieften Textverständnis.

Unterrichtspraktische Hinweise

Der Diskussion über die erzählerischen Qualitäten des Films ist im günstigsten Fall eine einführende Unterrichtssequenz zu den Gestaltungsmitteln des Films vorausgegangen. In der Gegenüberstellung von filmischen und literarischen Ausdrucksmöglichkeiten können dann die Vor- und Nachteile beider Medien erkenntnisreich herausgearbeitet werden. Vor allem eigene Transferübungen haben sich hierfür bewährt.

Erzählperspektiven

Die Defizite der subjektiven Kamera können deutlich werden, wenn eine entsprechende Filmszene in der ersten Person nacherzählt wird. In Bezug auf den Film *Das unbekannte Gesicht* (↗ S. 102 f.) könnte ein Ich-Erzähler von seinen Befürchtungen und Hoffnungen beim Arztbesuch berichten. Die reflektierende Qualität, die in der schriftlichen Form möglich ist, kann die Kamera allein eben nicht leisten.

Dagegen lassen sich durch die schriftliche Umsetzung einer multiperspektivisch erzählten Filmszene – etwa einer Verfolgungsjagd mit Anteilen subjektiver Kamera – die Besonderheiten der Filmsprache veranschaulichen. Der sekundenschnelle Perspektivenwechsel, der im Film wie selbstverständlich funktioniert, wird sich für die Verschriftlichung als problematisch erweisen. Der häufige Wechsel des Erzählstandpunkts verunsichert und wird gemeinhin in der Literatur als stilistisches Experiment verstanden (Döblin, Dos Passos). Im Film hingegen erscheint er völlig ›normal‹ und fällt nicht weiter auf.

Literaturverfilmungen

Die Diskussion über den Film sollte möglichst ergiebig sein. Um dieses Ziel zu erreichen, können an alle Schüler bestimmte Sehaufgaben vergeben werden, die unterschiedliche Aspekte des Films betreffen. Je nach Unterrichtsschwerpunkt wird so mehr die technisch-gestalterische oder die inhaltliche Seite angesprochen. Verteilen Sie vor dem Sehen Aufgabenzettel, auf denen jeweils ein Aspekt notiert ist, den die einzelnen Schülerinnen und Schüler besonders beachten und notieren sollen. Zum Beispiel:
– Einstellungen zählen
– Einstellungsgrößen (Auffälligkeiten)
– Kameraperspektiven
– Kamerabewegungen
– Beleuchtung
– Farbe
– Ton (Gespräch, Geräusch, Musik)
– Ausstattung, Kleidung
– Montageformen
– Raumdarstellung
– Aspekte der Zeit (erzählte Zeit – Erzählzeit)
– Filmtricks
– Hauptcharaktere, Nebenfiguren
– zentrale Symbole, Motive
– Liebes-, Gewaltdarstellung etc.
– Parallelen zu anderen Filmen (Zitate, Verweise, intertextuelle Bezüge).

In der Besprechung des Films und bei der Diskussion über sein Wirkungspotential können diese einzelnen Aspekte dann vernetzt werden: Da alle Schülerinnen und Schüler durch ihre jeweilige Sehaufgabe ›Experten‹ für einen bestimmten Aspekt des Films sind, wird das Bedürfnis, die eigenen Beobachtungen in die Diskussion einzubringen, recht groß sein. (Die Methode bringt erfahrungsgemäß eine Fülle von Diskussionsanlässen und Material für eine sehr komplexe und lebendige Behandlung von Filmen im Unterricht.)

Erlaubt der Unterricht nur eine kurze Behandlung der Literaturverfilmung, so sollte man sich auch nur auf kurze Filmsequenzen beschränken. Wie oben dargelegt, ist die Analyse der jeweiligen Exposition sowie der zentralen Motive besonders empfehlenswert.

Bevor man sich der Verfilmung nähert, sollte man einige Erwartungen formulieren:
– Wie könnte eine modernisierte Fassung der Vorlage aussehen?
– Welche Szenen sind so zentral für die Handlung, dass sie auf keinen Fall wegfallen können (ausgehend von der Erfahrung und der fast immer realen Notwendigkeit, den Text für die filmische Umsetzung zu kürzen oder die Handlung zu verknappen)?
– Wie könnten abstrakte Begriffe wie ›Angstapparat‹ (*Effi Briest*) oder ›Homoerotik‹ (*Tod in Venedig*) medienspezifisch umgesetzt werden?

Nach dem Ansehen des Films und dem Sammeln der einzelnen Beobachtungen (mithilfe verteilter Aufgabenkarten) kann dann kenntnisreich etwa über die Umsetzung in ein zeitgenössisches Ambiente diskutiert werden, ebenso über die ›Übersetzung‹ der sprachlichen Bilder in den Film:
– Welche Schwerpunkte setzt die Adaption?
– Welche Änderungen (Kürzungen/Weglassungen) im Handlungsverlauf sind aufgefallen?
– Welche Symbole finden sich im Film?

Es lohnt sich immer, einmal selbst den Versuch zu unternehmen, kurze literarische Passagen in eine andere Form zu bringen. Eine filmische Umsetzung scheitert jedoch in der Regel an mangelnden technischen Voraussetzungen, vor allem aber an der fehlenden Zeit. Doch bieten sich andere Möglichkeiten an:
– Schreiben Sie ein Drehbuch, entwickeln Sie eine Einstellungsliste oder setzen Sie eine Szene bildlich in einem Storyboard um.
Auch für diese Übungen zum Medientransfer eignen sich die einführenden Abschnitte literarischer Vorlagen besonders gut.

Beispiele für Sequenzprotokolle

Ein Sequenzprotokoll vereinfacht den Umgang mit dem Film. Durch die Strukturierung wird beispielsweise ein schnelleres Auffinden bestimmter Szenen ermöglicht. Welche einzelnen Aspekte in das Protokoll einfließen, ist abhängig vom zeitlichen und analytischen Aufwand, den man investieren möchte/kann. Ein wichtiges Kriterium ist natürlich die Fixierung der Erzählzeit. Die meisten Videorekorder neueren Datums verfügen über eine ›Echtzeit‹-Angabe, ältere Modelle häufig nur über ein einfaches Zählwerk. Hier muss man mit der Stoppuhr arbeiten.

»Fontane Effi Briest« (BRD 1974, Rainer Werner Fassbinder)

Für die Fassbinder-Verfilmung von Fontanes Effi Briest ist der Ortswechsel das bestimmende Strukturelement. Die Angabe der entsprechenden Buchkapitel erleichtert das Wiederauffinden der Textpassagen – was bei Fassbinder insofern wichtig ist, als sein Film den Anspruch größtmöglicher Textnähe erhebt. Der Regisseur verwendete nahezu ausschließlich Originaltext und hielt sich genau an die Chronologie der Vorlage.

Die Anzahl der Einstellungen verweist in diesem Fall auf den langsamen Schnittrhythmus des Films. Das Zählen der Einstellungen ist für ein Sequenzprotokoll aber nicht unbedingt notwendig.

Die Zeit der einzelnen Sequenzen im Vergleich zur Gesamtzeit gibt unter anderem Auskunft über die unterschiedliche Gewichtung der filmischen Kapitel.

Sequenzen (nach Ortswechsel)	Buchkapitel	Einstellung(en)	Zeit	Zeit total
Vorspann			01:46	01:46
1. Hohen-Cremmen: Exposition	1 – 5	1 – 22	11:14	13:00
2. Kessin: Ankunft; Gieshübler;				
Chinesengrab;				
Tripelli, Roswitha	6 – 14	23 – 94	29:45	42:45
3. Hohen-Cremmen: Effi u. Vater	15	95	01:30	44:15
4. Kessin: Crampas;				
Ressourcenball; Umzugspläne;				
Abschiedsbesuche	15 – 22	96 – 168	35:18	1:19:33
5. Berlin: Mutter, Dagobert,				
Innstetten	23 – 24	169 – 189	05:07	1:24:40
6. Hohen-Cremmen:				
Eltern über Effi; Schuldmonolog	24	190 – 194	03:12	1:27:52

Sequenzen (nach Ortswechsel)	Buchkapitel	Einstellung(en)	Zeit	Zeit total
7. Berlin/Kessin: Entdeckung der Briefe; Dialog Wüllersdorf–Innstetten; Duell	25 – 29	195 – 243	20:28	1:48:20
8. Ems: Brief der Mutter an Effi	30 – 31	244	01:04	1:49:24
9. Berlin: Effis neues Leben; Begegnung mit der Ministerin; Besuch Annies; Krankheit	32 – 34	245 – 258	02:33	2:01:57
10. Hohen-Cremmen: Effis Rückkehr; Pastor Niemeyer	34	259 – 269	03:25	2:05:22
11. Berlin: Innstettens Beförderung	35	270 – 272	01:29	2:06:49
12. Hohen-Cremmen: Effis Tod	36	273 – 277	07:33	2:14:20

Selbstverständlich kann ein Sequenzprotokoll wesentlich ausführlicher sein. Im Falle des Fassbinder-Films können die zwölf Sequenzen noch weiter unterteilt werden, wie am Beispiel der ersten Sequenz verdeutlicht:

Sequenzen	Buchkapitel	Einstellung(en)	Zeit	Zeit total
1. Hohen-Cremmen				
1.1 Haus: Vorderansicht	1	1	00:27	00:27
1.2 Effi und Mutter im Garten	1	2	00:37	01:04
Insert 1: *Eine Geschichte mit Entsagung ist nie schlimm.*	1	3	00:03	01:07
1.3 Innstetten	1	4 – 9	02:29	03:36
1.4 Fotografie Effis	3	10	00:47	04:23
1.5 Effi, Vetter Dagobert, Mutter	3	11 – 15	00:36	04:59
1.6 Effi und Mutter im Haus	3	16	01:40	06:39
1.7 Effi und Mutter, spazierend	4	17	02:40	09:19
Insert 2: *Freilich ein Mann in seiner Stellung muss kalt sein. Woran scheitert man denn in der Ehe überhaupt? Immer nur an der Wärme.*	5	18	00:14	09:33
1.8 Eltern über Effis Ehe	5	19 – 22	01:41	11:14

Weitere Aspekte, die in ein Sequenzprotokoll einfließen könnten, sind auffällige Kameraoperationen (Plansequenzen, rasante Fahrten, starke Auf- und Untersichten), bestimmte Toneinsätze (Off-Erzähler, kommentierende Musik oder Geräusche), wiederkehrende Symbole usw. Je mehr Kategorien berücksichtigt werden, desto deutlicher wird das filmische Zeichensystem herausgearbeitet. Zu berücksichtigen ist dabei jedoch immer, dass der Zeitaufwand bei jedem zusätzlichen Aspekt überproportional steigt.

»Falling Down – Ein ganz normaler Tag«
(USA 1993, Joel Schumacher)

Der Film beginnt an einem heißen Sommermorgen im Stau des Berufs-
verkehrs von Los Angeles. William Foster sitzt in seinem Auto, anschei-
nend auf dem Weg zur Arbeit. Er wirkt äußerst gestresst und nimmt die
Außenwelt als laut, nervig und feindselig wahr. Am Ende der filmischen
Exposition (↗ S. 117–122) steigt er einfach aus dem Auto und geht weg.
Auf eine entsprechende Frage des Fahrers im Wagen hinter ihm antwortet er: »Ich gehe nach Hause.«

Ein anderer Autofahrer – Prendergast, ein älterer Polizist, der seinen
letzten Arbeitstag vor sich hat – beobachtet die Szene amüsiert, dabei fällt
ihm das Autokennzeichen Fosters auf: »D-Fens«.

Im Folgenden begleitet der Film beide Figuren. Während Prendergast
das von Bandenkriegen, Gewalt, Rassismus und Armut geprägte Los Angeles als Teil der Großstadtrealität wahrnimmt und – auf Wunsch seiner
Frau – nach der Pensionierung aufs Land ziehen will, versucht Foster, zunehmend unter Anwendung von Gewalt, frühere Verhältnisse wiederherzustellen, von denen er glaubt, sie wären von Ordnung und korrektem
Verhalten geprägt gewesen (»Ab heute gelten die Preise von 1965.«).

Der Zuschauer erfährt aber schon während der Episode im Korea-Shop,
dass Foster zwar den Anschein bürgerlichen Lebens wahren möchte,
tatsächlich jedoch von Frau und Kind getrennt lebt. Aufgrund latenter
Aggressivität darf er sich – laut Gerichtsbeschluss – seiner Frau Beth und
beider Tochter Adele nicht nähern. An diesem Tag feiert Adele jedoch Geburtstag, und Foster versucht, sie zu besuchen. Auf dem Weg dorthin gerät er in zahlreiche Konfliktsituationen, die er mit Gewalt löst. Dazwi-
schen telefoniert er immer wieder mit Beth, die sich von ihm bedroht
fühlt und die Polizei einschaltet.

Nachdem Prendergast eine Verbindung zwischen den kriminellen Vor-
gängen des Tages und dem Autofahrer mit dem beziehungsreichen Kennzeichen »D-Fens« erkannt hat, beginnt er mit den Ermittlungen. Im Weiteren erfährt man, dass Foster seine Arbeit verloren hat und bei seiner
Mutter wohnt. Der Kreis schließt sich immer dichter um ihn.

Im Showdown begegnen sich schließlich die Handlungsfiguren auf
dem Pier von Venice. Dort provoziert der von Lebenslügen und Fehlver-
halten zerstörte Foster seine Erschießung durch Prendergast.

Da der Film der Odyssee Fosters chronologisch folgt, während der einzelnen Episoden aber auch immer die parallelen Handlungsorte zeigt (Beth
und Adele sowie Prendergasts Ermittlungen), ist eine differenziertere

Strukturierung als im Falle von *Fontane Effi Briest* sinnvoll. – Die Unterpunkte signalisieren eingeschnittene Ortswechsel innerhalb einer Sequenz.

William Fosters (alias D-Fens) Weg	Zeit	Zeit total
Credits (weiße Schrift auf schwarzem Grund)	00:27	00:27
1. Exposition: Im Stau (↗ S. 117–122)	05:05	06:32
2. Im Korea-Shop des Mr. Lee		
– Einführung Beth und Adele		
– Prendergasts Arbeitsplatz		
– Geburtstagsvorbereitungen		
– Mrs. Prendergast	10:36	17:08
3. Im Hispano-Viertel		
a) Revierkonflikt		
– Mr. Lee erstattet Anzeige	06:05	
b) ›Drive-by-shooting‹		
– Telefonat zwischen Beth und D-Fens		
– ›Abschiedsrede‹ des Polizeichefs für Prendergast	08:57	31:10
4. Unterprivilegierte		
a) An der Bushaltestelle		
– Beth beantragt Polizeischutz	03:17	
b) Im Park		
– Vernehmung Angelinas (Zeugin des ›Drive-by-shooting‹), Prendergast erkennt erste Verbindungen	04:51	39:18
5. Im Whammyburger-Restaurant		
– Prendergast mit seiner Kollegin Sandra im mexikanischen Restaurant über Ehe und Beruf	07:28	46:46
6. Kredit-Demonstration		
– Aufhebung des Polizeischutzes für Beth und Adele	03:00	49:46
7. Telefonzellen-Episode		
– Prendergast telefoniert gleichzeitig mit seiner Frau und mit Sandra (Eheproblem u. Ermittlungen)	02:58	52:44
8. Im Militaria-Shop		
– Prendergast verhört abermals Angelina		
– Polizeichef beleidigt Prendergast; Prendergast beginnt mit Sandra die Ermittlung		
– Telefonat zwischen Beth und D-Fens (mit Drohung)		
– Prendergast entdeckt D-Fens's Identität		
– Adele sieht fern	17:34	70:18

9. Straßenbaustelle
    – Prendergast und Sandra bei D-Fens's Mutter   05:06   75:24
10. Golfspieler-Episode
    – Prendergast und Sandra bei D-Fens's Mutter   05:13   80:37
11. Hausmeister-Episode
    – Polizistin wiegelt Beth's Angst ab
    – Prendergast ermittelt Beth's Adresse   05:06   85:43
12. Finale: In Venice
    a) Beth und Adele flüchten vor D-Fens
    – Prendergast maßregelt seine Frau, schlägt
      einen Kollegen zu Boden und fährt mit Sandra
      nach Venice (Klärung privater u. beruflicher
      Probleme)
    – D-Fens schaut sich ein altes Geburtstagsvideo an   07:33   93:16
    b) Auf dem Pier, Showdown, D-Fens's Tod   09:54   102:10
13. Epilog: Prendergast rügt seinen Chef vor laufender
    Fernsehkamera, während in Beth's Haus
    das Geburtstagsvideo läuft   02:10   104:30
Credits (weiße Schrift auf schwarzem Grund)   03:21   107:51

V Film im Multimediazeitalter

Film ist ein eigenständiges Medium mit eigenen Regeln und einer eigenen Geschichte. Der direkte ›Vergleich‹ einer Adaption mit der literarischen Vorlage kann für das Herausarbeiten spezifischer Qualitäten sogar hinderlich sein. Die Zeiten, in denen sich das Bildmedium Film durch Bezugnahme auf die Literatur zu nobilitieren suchte, gehören der Vergangenheit an. Eine zu große Nähe zu literarischen Formen kann dem Gelingen eines Films im Wege stehen. Und häufig trifft es zu, dass ein der Vorlage ›treuer‹ Film durch seine Kunstbeflissenheit eher langweilt, weil er sich nicht vom Text oder dem vermeintlichen ›Geist‹ der Vorlage löst.

Eine moderne Adaption wie *William Shakespeares Romeo und Julia* (1996) von Buz Luhrmann weist zudem auf einen anderen Aspekt des Gegenwartsfilms. Zwar handelt es sich – auf der Textebene – um eine wortgetreue Fassung der Vorlage, die visuelle Umsetzung allerdings verrät filmische Einflüsse der neunziger Jahre von der MTV-Videoclipästhetik bis zum Gangstergenre wie *Pulp Fiction* (1994) von Quentin Tarantino.

Filme schaffen sich ihr eigenes Bezugssystem, sie verweisen auf andere Filme und Bilderwelten. Vor allem populäre Genreproduktionen der Gegenwart haben kaum etwas mit Literatur, erst recht nichts mit Abbildung von Wirklichkeit zu tun, sondern vor allem mit anderen Filmen.

Steven Spielbergs *Indiana-Jones*-Reihe etwa wäre ohne die Abenteuer-

37 Trailer zur VIVA-Sendung »Wahwah«: Fernsehen, das Leitmedium unserer Tage

serials, die im Kino der dreißiger Jahre im Vorprogramm liefen, nicht vorstellbar. In *Wild at Heart* (1990) verbinden sich Motive des Klassikers *Das wunderbare Land* (1939) mit Motiven der Road Movies. In vielen Thrillern Brian De Palmas gibt es deutliche inhaltliche und formale Bezüge zu den Filmen Alfred Hitchcocks: In Anlehnung an *Psycho* mordet in *Dressed to Kill* (1980) ein schizoider Psychiater in Frauenkleidern; in *Der Tod kommt zweimal* (1984) kombiniert De Palma das voyeuristische Grundthema aus *Das Fenster zum Hof* (1954) mit dem unter Zwangsneurosen leidenden Antihelden in *Vertigo,* wenn der klaustrophobisch veranlagte Kleindarsteller heimlich Frauen mit dem Teleskop beobachtet und dabei Zeuge eines Mordes wird.

Kaum ein populärer Film verzichtet heute auf Zitate oder Bezüge. In dem mit 70 Millionen Dollar bislang teuersten europäischen Sciencefiction-Film *Das fünfte Element* (1997) zitiert Regisseur Luc Besson nicht nur Szenen aus modernen ›Klassikern‹ des Genres, wie *Der Mann, der vom Himmel fiel* (1975), *Brazil* und *Blade Runner,* sondern auch aus zeitgenössischen französischen Kultfilmen, eigene eingeschlossen, wie *Diva* (1980), *Nikita* (1989) und *Léon – Der Profi.* Die Filmemacher sind mit Kino und Fernsehen aufgewachsen, sie müssen das Kino nicht mehr ›erfinden‹ wie die erste Generation der Regisseure und Produzenten. Sie können vielmehr auf filmische Formen und Bilderwelten zurückgreifen, Genremuster variieren und nach den jeweils neuesten Möglichkeiten der Technik verändern.

Natürlich beeinflussen die ständigen Erneuerungen auf fast allen Gebieten der Filmtechnik nicht nur die handwerkliche Seite der Filmproduktion und die Ästhetik des Films, sondern auch das Rezeptionsverhalten des Publikums. Neben der spannenden Geschichte, die in Filmen wie *Jurassic Park, Independence Day* oder *Titanic* erzählt wird, interessiert man sich zunehmend für Tricks und Effekte, die möglichst realistisch und überwältigend sein sollen. Bei der Diskussion um den teuersten und zugleich erfolgreichsten Film aller Zeiten, *Titanic,* konnte man feststellen, dass sich gerade das jüngere männliche Publikum enttäuscht über die digitale Tricktechnik geäußert hat, wohingegen die älteren Zuschauerinnen und Zuschauer hauptsächlich von den melodramatischen und spannungsgeladenen Teilen der Handlung beeindruckt waren. Dem jüngeren Publikum sind die Genremuster ohnehin bekannt, die Technik dagegen verspricht Neues.

Es ist aber auch eine Abkehr von einigen klassischen ›Spielregeln‹ der Filmpraxis festzustellen. Eine traditionelle Auffassung besagt beispielsweise, dass die Großaufnahme wegen ihrer hohen Suggestivkraft nur an den Höhepunkten einer Handlung eingesetzt werden sollte. Da sich heute der Marktwert eines Stars unter anderem an der Häufigkeit seiner vertraglich vereinbarten Großaufnahmen orientiert, wird diese ästhetische ›Regel‹ wirtschaftlichen Überlegungen nachgestellt. Insofern kann die Anzahl an Großaufnahmen durchaus die an dramaturgischen Höhepunkten deutlich übersteigen.

Ähnliches lässt sich über die Verwendung von Detailaufnahmen sagen. Als kleinste Einstellungsgröße, die lediglich Teile eines Ganzen zeigt, sollte die Detailaufnahme nach traditioneller Auffassung in direktem Zusammenhang mit einer erklärenden Einstellungsgröße erfolgen – auf das Bild eines Auges folgte also die Aufnahme eines Gesichts, etwa in der Naheinstellung. Eine weitere klassische Konvention berührte die Montagetechnik. Es dürfe nicht in eine Kamerabewegung hineingeschnitten werden, da dies das Publikum zu stark irritiere.

Beides sieht in der aktuellen Filmpraxis oft anders aus. Viele Spielfilme, vor allem aber die Musik- und Werbeclipästhetik brechen mit diesen Konventionen. Eine Aneinanderreihung von Detailaufnahmen ohne erklärenden Zusammenhang oder der Schnitt innerhalb einer Kameraoperation sind keine Seltenheit. Sie unterstützen – zusammen mit der steigenden Schnittfrequenz – die größtmögliche Dynamisierung des Filmeindrucks.

Ökonomisch-ästhetisches Verbundsystem

Film im Multimediazeitalter hat aber auch die Strukturen der Medienlandschaft verändert. Als sich das Kino in den zehner Jahren des 20. Jahrhunderts zu seiner eigenen Nobilitierung um die Mitarbeit bekannter Theaterschauspieler bemühte, gab es große Widerstände seitens der Bühnenverbände, die den Kinematographen als Hauptkonkurrenten fürchteten. Doch schon Anfang der zwanziger Jahre prägten die Bühnendarsteller Max Reinhardts oder Erwin Piscators die Schauspielkunst des deutschen Stummfilms. Heute müssen sich die Theaterintendanten nach den Drehplänen ihrer Schauspieler richten. Im Vergleich zu den Tagesgagen des Kinos sind die Theaterhonorare nicht mehr als ein Zubrot. Diese ungleiche Konkurrenzsituation wird durch das Fernsehen noch verschärft. Immer mehr Fernsehkanäle (ver)brauchen immer mehr Schauspieler. Dass der Bedarf an neuen ›Gesichtern‹ dabei auch zunehmend durch ungelernte Darstellerinnen und Darsteller gedeckt wird (z. B. in Daily Soaps wie *Verbotene Liebe* oder *Gute Zeiten, schlechte Zeiten*), gehört zu den aktuellen Entwicklungen in der Medienlandschaft.

Das Fernsehen, das in den Fünfzigern wiederum als Hauptkonkurrent des Kinos galt, spielt heute eine wichtige Rolle innerhalb des Medienverbunds, der hauptsächlich die Bereiche Kino, Mode, Musik, Sport, Literatur und Werbung umfasst. Schon in den fünfziger Jahren traten Schauspieler als Werbeträger auf, und Sportler oder Sänger agierten in Spielfilmen. Diese Trends sind heute zu Selbstverständlichkeiten geworden und das Ergebnis genau kalkulierter Vermarktungskampagnen. Aktuelle Musikstars werden in Hauptrollen besetzt, etwa der Rapper Will Smith in *Independence Day* und *Men in Black* (1997) oder Madonna unter anderem in *Dick Tracy* (1990) und *Evita* (1996), Models erhalten eine eigene Talkshow (Claudia Schiffer und Verona Feldbusch bei RTL 2), Sportler werden Filmstars (Michael Jordan in *Space Jam*, 1996).

Besonders augenfällige Beispiele für die vielfache Verwertung erfolgreicher Medienfiguren liefern Moderatorinnen und Moderatoren des deutschen Musiksenders VIVA: Heike Makatsch wurde Schauspielerin und Sängerin, Stefan Raab nutzte seine Popularität, um als Sänger und Produzent zu arbeiten, und V-Jay [Videojockey] Mola Adebisi bewegt sich in allen nur erdenklichen öffentlichen Bereichen: Mittlerweile entwirft er – neben seiner Moderatorentätigkeit – Unterwäsche, die er auf Modenschauen vorstellt, komponiert eigene Musik, die er mit einer Band vermarktet, und tritt in einer Nebenrolle in einer Fernsehserie (*Marienhof*) auf.

Bei der ständigen Jagd nach neuen, unverbrauchten Gesichtern gerät ein ehemals umjubelter Star rasch in Vergessenheit. Und die Verfallszeit richtet sich gerade in den Trendprogrammen der täglichen Serien und Musikclips nach dem Alter der jeweiligen Protagonisten. Da der Adressatenkreis die bis Dreißigjährigen umfasst, ist dies auch die Altersgrenze der meisten Leitfiguren.

Vermarktung im Medienverbund zeitigt aber noch weitere Aspekte. Das Wechselspiel der am Verbundsystem beteiligten Sparten kann man sehr gut bei ›angesagten‹ Trendthemen verfolgen. Startet beispielsweise ein Trendfilm im Kino, so taucht das entsprechende Kinoplakat sicherlich bald im Jugendzimmer bei einer Daily Soap auf. Hier wird diese Requisite jedoch nicht im Sinne einer dramaturgisch begründeten Bildgestaltung als bedeutungsgebendes Element verwendet, sondern sie dient einzig und allein dazu, das Publikum auf wenig subtile Weise auf den aktuellen Kinofilm aufmerksam zu machen. Ebenso verhält es sich mit dem Einsatz der Musik. Weder illustrativ noch emotionalisierend und schon gar nicht kontrapunktisch, sondern lediglich unter marktstrategischen Gesichtspunkten spielt die tägliche Fernsehserie die Hits der internationalen Musikcharts, um sie nach der Erstvermarktung durch die jeweiligen Interpreten oder Bands – gebündelt in so genannten Samplern [Zusammenstellungen von Musikstücken] – nochmals verkaufen zu können. Wenn daneben eine ausschließlich vom Drehbuch entwickelte und für die Serie inszenierte Musikband plötzlich in den tatsächlichen Charts auftaucht und auf eine ›richtige‹ Tournee geht, gehört das auch zu den eigentümlichen Ausformungen innerhalb des Medienverbunds.

Die ökonomisch-ästhetische Verflechtung der einzelnen Mediensysteme untereinander hat zwar eine lange Tradition – schon die Marlboro-Werbung etablierte den mit Film und Fernsehen aufgewachsenen Rezipientinnen und Rezipienten eine vertraute Welt, nämlich die des klassischen Western –, aber erst nach der synergetischen Entwicklung des letzten Jahrzehnts, in dem einzelne Bereiche (Film, Fernsehen, Musik etc.) mehr und mehr in Großkonzernen vereinigt werden, ist der Austauschprozess so unmittelbar und so deutlich festzustellen. Hat eine spezifische Ästhetik wie die unruhige Kamera der Reality- und Arztserien im Fernsehen Erfolg, so wird man sie bald auch in Kinofilmen wiederfinden. Und umgekehrt: Setzen Kinofilme, wie die über ›coole Killer‹ (*Léon – Der Profi*; *Pulp Fiction*; *From Dusk Till Dawn*, 1996) neue inhaltliche und ästhetische Akzente, so werden diese schnell von den benachbarten Branchen aufgegriffen – sei es in Form von modifizierten Filmplakaten, der entsprechenden Bekleidung (Modeindustrie) oder dem Habitus der Antihelden (Rap- und Hip-Hop-Musiker). Umgekehrt tauchen prominente Vertreter einzelner Branchen immer wieder in Neben- oder Hauptrollen eines Films auf, oder sie arbeiten in anderer Form mit, wie zuletzt der Couturier Jean-Paul Gaultier, der für den Film *Das fünfte Element* die Kostüme entwarf.

Werbespots sind gegenwärtig nicht nur ebenso teuer wie komplette Filme, sie bedienen sich auch der Trends des Kinos. Vor allem die Jeansreklame zitiert Film im besten Wissen darum, dass ihrer Klientel die Klischees der Filmgeschichte vertraut sind. Ob 1992 eine Mischung aus den erfolgreichen Filmen des Vorjahres *City Slickers – Die Großstadthelden* (1991) und *Thelma & Louise* oder 1997 in 40 Sekunden und im Schwarzweiß des Originals die Ausbruchsgeschichte vom Klassiker *Flucht in Ketten* (1958) erzählt wird – die Werbeindustrie spielt mit den Versatzstücken des Kinos. Darüber hinaus fungieren Werbespots wiederum als Träger und Hitlieferanten für die Musikindustrie.

Was die Wechselwirkungen von Film- und Literaturbetrieb anbelangt, so spielten neben der klassischen Literaturverfilmung Adaptionen so genannter Trivialvorlagen seit den frühen Tagen des Films eine beträchtliche Rolle. Eine mediale Ausweitung erfolgte beispielsweise durch die Einbeziehung von Comics. *Batman*- und *Superman*-Verfilmungen gehören ebenso zum Kino-Repertoire wie der Comicstrip *Dick Tracy* oder die bizarre, postapokalyptische Kultfigur *Tank Girl* (1995). 1993 wurde erstmals ein erfolgreiches Video- und Computerspiel verfilmt: *Super Mario Bros.* (1993). Und auch das Fernsehen liefert Vorlagen für das Kino. So wurde beispielsweise die Zeichentrickserie *Flintstones – Die Familie Feuerstein* (1994) mit realen Schauspielern adaptiert und die unter Medienpädagogen umstrittene, aber bei Kindern sehr beliebte Actionserie *Power Rangers* kam 1995 in die Kinos.

Die Verfilmung einer medialen Vorlage ist jedoch nur ein Aspekt der Vermarktungsstrategien. Das Merchandising spielt eine ebenso große Rolle. Die Produktpalette, die in unmittelbarem Zusammenhang mit dem Film auf dem Markt erscheint, reicht von Comic-Heften über Spielfiguren bis hin zu Haushaltsgeräten, die im Design des Films erstellt wurden. Oftmals spielt im Verbundsystem das Merchandising eine größere Rolle als das eigentliche filmische Produkt. So erzielten die im Umfeld der beliebten Teenagerserie *Beverly Hills, 90210* erzeugten Artikel (*by Products*) bislang einen Warengewinn von fast 100 Millionen Dollar. Die Artikel zur Walt-Disney-Produktion *Der König der Löwen* (1994) erreichten einen weltweiten Umsatz in Höhe von 1,5 Millarden Dollar.

Bei der Merchandising-Kampagne ist der literarische Sektor nicht zu unterschätzen. Das ›Buch zum Film‹ liegt (neben der CD zum Film) in der Regel schon vor dem offiziellen Kinostart in den Verkaufsregalen. Die Auflagen dieser mitunter schnell nachgeschriebenen und unter Pseudonymen veröffentlichten Werke gehen unter Umständen in die Hunderttausende. Sie verschwinden aber auch genauso schnell wieder aus den Buchhandlungen, wie sie erschienen sind (und werden wenige Monate später als Remittenden verramscht). Diese ›Verbuchung‹ eines Films ist ein profitabler und inzwischen institutionalisierter Bestandteil des Medienverbundsystems.

Am Beispiel von *Jurassic Park* kann man bislang am eindrucksvollsten die Möglichkeiten der multimedialen Verflechtungen nachvollziehen: Erfolgsautor Michael Crichton veröffentlichte seinen siebenten Roman (dt. u. d. T. *Dino Park*) 1990. Zeitgleich mit der Veröffentlichung arbeitete Crichton an einer Drehbuchversion, die in wesentlichen Elementen vom Buch abwich und mehr den spezifischen Kinoerwartungen entsprach. Erfolgsregisseur Steven Spielberg begann 1991 mit der Realisierung des Filmprojekts. Erstmals sollte dabei der Computer ein naturalistisches Bild der Saurierwelt erzeugen. Weit im Vorfeld des Kinostarts wurden Print- und audiovisuelle Medien mit erstem Promotion-Material bedacht (kleine Buttons mit gezeichnetem Dinosaurierskelett und andere ›Devotionalien‹) und so auf das kommende Kinoereignis vorbereitet. Wenig später thematisierten sämtliche Fernsehsender – von den öffentlich-rechtlichen bis hin zu den privaten – die Prähistorie, sei es in Form von spekulativ aufgemachten Dokudramen, sei es in wissenschaftlichen Dokumentationen oder einfach durch Hervorholen alter Dinofilme aus den Archiven. Zeitschriften berichteten ausführlich über längst existierende prähistorische Parks, Kinder- und Jugendbuchverlage gaben reich bebilderte Veröffentlichungen heraus, Hörfunk und Fernsehen sendeten zahlreiche Making-of-Berichte (in der Regel vom Filmverleih vorproduziertes Werbematerial), es gab Dinosaurierfiguren als Spielzeug, in Überraschungseiern, bei Fast-Food-Ketten. Zusätzlich zur Romanvorlage wurde ein ›Buch zum Film‹ veröffentlicht, das die Filmhandlung noch einmal leichter verständlich verschriftlichte. Darüber hinaus lieferte *Jurassic Park – Das offizielle Buch zum Film* alle wichtigen Informationen, »wie aus dem Bestseller *Dino Park* der Kinoerfolg von Steven Spielberg wurde«. Hier erschien dann nochmals, im repräsentativen DIN-A4-Format zusammengefasst, was aus den zahlreichen Making-of-Berichten schon bekannt war.

Insgesamt wurden fast 1 000 Produkte im Vor- und Umfeld des Films auf den Markt gebracht. Mit dem Ergebnis, dass das Publikum quasi zum Kinobesuch konditioniert wurde. *Jurassic Park* hatte im Kino allein in Deutschland über neun Millionen Zuschauerinnen und Zuschauer. Die Zehn-Millionen-Grenze wurde erstmals 1998 von *Titanic* übertroffen – ein Film, dessen multimediale Vermarktungsmechanismen ähnlich wirkungsvoll funktionierten.

Digitale Manipulationsmöglichkeiten

Film im Multimediazeitalter kennt kaum noch technische Grenzen. Im Prinzip ist mithilfe des Computers alles machbar. Jede Illusion, jede hoch komplexe Kamerabewegung, die früher ein Höchstmaß an strategischer Vorplanung und tricktechnischem Aufwand voraussetzte, kann heute am Computer berechnet werden. Die technischen und logistischen Kniffe, die Alfred Hitchcock noch bemühen musste, um mit *Cocktail für eine Leiche* einen Film ohne sichtbaren Schnitt zu realisieren (↗ Plansequenz, S. 86 f.), müssen heute nicht mehr ersonnen werden. Die digitale Bildbearbeitung ermöglicht nahezu jede Manipulation von Bildmaterial. Zwar gehört der Computer schon seit Ende der sechziger Jahre zum technischen Equipment der Studios, doch erst in den Neunzigern wurde die Software so weit perfektioniert, dass die digitale Erzeugung von naturalistisch wirkenden Bildern (ohne Verwendung einer Kamera, ohne Filmmaterial, ohne echte oder gebaute Kulisse) gelang.

Diese Technik wurde in *Jurassic Park* und *Forrest Gump* (1994) erstmals im großen Stil eingesetzt. Neben dem eher spielerischen Einsatz der digitalen Bildverarbeitung in *Forrest Gump* – in der Exposition folgt die Kamera minutenlang scheinbar schwerelos einer schwebenden Vogelfeder, die schließlich auf einem Schuh des Protagonisten landet – machte dieser Spielfilm eines deutlich: Wenn durch die Manipulation des Bildmaterials ein Schauspieler dergestalt in historische Filmaufnahmen eingebunden werden kann, ohne dass auch nur irgendein Hinweis auf den Trick zu erkennen ist, dann ist der Wahrheitsgehalt der Bilder insgesamt in Frage zu stellen. Da alles am und im Computer erzeugt worden ist, ergibt selbst die Analyse des Filmnegativs keinen Aufschluss mehr über die Manipulation. Retuschierungen am Basismaterial – wie etwa die bekannten Versuche Stalins, Geschichte durch das Herausfiltern missliebiger ehemaliger Mitstreiter aus gemeinsamen Fotos zu verfälschen – konnten immer als solche erkannt werden. Digitales Ausgangsmaterial jedoch liefert Bilder, die alles behaupten können. Historische Aufnahmen werden in den Computer eingelesen, mit aktuellen Objekten oder Personen beliebig ergänzt und manipuliert und anschließend auf Negativmaterial herausgegeben. Insofern wird in Zukunft die Diskussion um den Realitätsgehalt gerade bei so genannten dokumentarischen Bildern oder Fotografien eine große Rolle spielen. Das Konzept der Realitätsabbildung ist angesichts der neuen Technologien äußerst fragwürdig geworden.

Multimedia im Kinderzimmer

Mehr und mehr finden diese Technologien auch Eingang in den privaten Bereich. Nicht nur, dass die neuen Generationen der Multimediarechner das Kreieren eigener Bilderwelten auf höchstem Niveau in den eigenen vier Wänden ermöglichen, im Zeitalter der ›Globalisierung‹ bieten sie den ungefilterten Zugang zu weltweiten Informations- und Unterhaltungsquellen. Der Multimedia-Computer ist Fernsehen, Telefon, Informationsbörse, Spiel-, Lern- und Arbeitsplatz in einem. Er wird mehr und mehr zur ›Kommandozentrale‹ eines Haushalts, von dem aus nahezu sämtliche Vorgänge des täglichen Lebens gelenkt werden können.

Film im Multimediazeitalter ist nicht mehr nur auf Kino, Videorekorder oder Fernsehen beschränkt. Immer mehr Computerspiele basieren auf inszenierten Filmen. In den so genannten Adventure Games spielen ›richtige‹ Schauspieler in einer virtuellen Filmkulisse. Die Spieler haben die Möglichkeit, innerhalb der Phantasiewelt den Ablauf des Spiels zu be-

38 a »Metropolis« (D 1927, Fritz Lang), b »Star Trek – Das nächste Jahrhundert«
(USA 1987/95): Künstliche Menschen im Film

einflussen. Dabei bietet der naturalistische Charakter dieser Welten wesentlich stärkere Identifikationsangebote, als das bei den älteren animierten Spielen der Fall war. In der Regel ist der Spieler sogar integraler Bestandteil der Fiktion. Er wird direkt von den Protagonisten angesprochen, um Rat gefragt oder kann sich in gefährlichen Situationen als Retter auszeichnen. Die Filmfiguren blicken in die Kamera, schaffen damit eine wirkungsvolle emotionale Verbindung zwischen sich und dem Spieler und dienen im Weiteren als Reflektorfigur (↗ Erzählperspektiven, S. 106 f.). Im Unterschied zu den Spielfilmen, wo diese Erzählfigur eher selten ist, verfügt der angesprochene Spieler nun tatsächlich über die Mittel, direkt in die Spielrealität einzugreifen, ihr seinen Stempel aufzudrücken. Wo der Kinozuschauer noch der ausschließlichen Manipulation des Regisseurs ausgeliefert ist, hält der Computerspieler alle Handlungsfäden mehr oder weniger selbst in der Hand. Und das macht den Reiz dieser interaktiven Spiele aus: In der virtuellen Welt kann jeder ein Held sein.

Nun könnte man einwenden, dass dies ja auch bei den Leseimaginationen der Fall sei. Das ist richtig. Aber die neue Qualität liegt in der zunehmenden Konkretion des Vorgestellten. Das Bild verdrängt die Schrift.

Kulturpessimistisch ließe sich im Sinne von Neil Postman formulieren, dass die Bildkultur keine besonderen Kompetenzen oder Fähigkeiten mehr verlange, und in dem Maße, wie die Projektionsflächen der Multimediawelt die der Eltern verdränge, verschwinde die Kindheit. Andere wiederum, wie der Jugendforscher Hans-Rudolf Leu, sehen in der Veralltäglichung des Computers eine ›Entzauberung‹. Er sei lediglich ein Bestandteil innerhalb der Kommunikationskultur – nicht mehr und nicht weniger. Ohne hier im Einzelnen auf die zahllosen kulturtheoretischen Debatten oder Untersuchungen über Wirkungen und Auswirkungen der Multimediawelt auf gesellschaftliches Verhalten eingehen zu können –

ob die virtuellen Aktivitäten Allmachtsphantasien bei Kindern und Jugendlichen wecken oder Kreativität, hängt letztlich ab vom sozialen Umfeld und der kritischen Begleitung durch die Erwachsenen. Dass Kinder und Jugendliche im Umgang mit dem Computer ihren Eltern und Lehrern überlegen sind, darf dabei nicht als Ausrede für Nichthandeln oder ein Verteufeln gelten.

Auf das »Ende der Gutenberg-Galaxis« (Marshall McLuhan) wird im Printmedienbereich durch vermehrte Herausgabe bildorientierter Informationen auf CD-ROM reagiert. Wenn per Mausklick beispielsweise ein leibhaftiger Goethe dem Leser/Zuschauer seine Zeit, sein philosophisch-historisches Umfeld und sein Gesamtwerk auch in bewegten Bildern offenbart, muss das nicht unbedingt Weltuntergangsstimmung erzeugen.

Schulbuchverlage begegnen den neuen Herausforderungen mit interaktiven Lernprogrammen, die unter dem neuen Begriff ›Edutainment‹ zusammengefasst werden. In der Lehrplanentwicklung der einzelnen Bundesländer erfährt die Beschäftigung mit audiovisuellen Medien (Hörkassetten, Film, Fernsehen, Computer, Internet) im Sinne eines erweiterten Textbegriffs zunehmende Bedeutung. Und auch an den Hochschulen hat die Auseinandersetzung mit den bewegten Bildern und der Medienrealität begonnen.

Insgesamt dienen alle Bemühungen dazu, Medienkompetenz zu entwickeln, die die nachwachsenden Generationen in die Lage versetzt, auf eine zunehmend unübersichtlicher werdende Informations- und Bilderflut kritisch und kreativ zu reagieren.

.

Anhang

Glossar

Akustische Klammer   Die Bilder einer →Montagesequenz werden mit einer durchgehenden, linearen Tonspur (Musik oder Dialog) unterlegt. Dadurch erscheinen sie als zusammengehörig.   S. 46, 77, 96, 99.

Assoziationsmontage (auch Kollisions- oder Attraktionsmontage)   Bezeichnung für einen deutlich wahrnehmbaren Schnitt: Zwei aufeinander folgende disparate Bilder lassen die Zuschauerin/den Zuschauer eine bestimmte Aussage assoziieren.   S. 20, 63–71 (u. Abbn.).

Atmo   Geräuschkulisse einer Szene bzw. eines Films. Sie wird entweder direkt vor Ort (*on location*) aufgenommen oder im Studio nachproduziert.   S. 43.

Aufsicht (auch Obersicht)   Kameraperspektive aus einer erhöhten vertikalen Position.   S. 20 f. (u. Abb.), 28, 51, 56, 74, 131.

Back Light   Hintergrund-/Raumlicht, trennt Personen und Objekte vom Hintergrund.   S. 33 (u. Abb.).

Blende   Sammelbegriff für Szenenübergänge, die nicht durch einen harten Schnitt gekennzeichnet sind (Auf-, Ab-, Überblendungen, Schwarz-, Weißblende, Wisch-, Reiß-, Vorhangblenden, etc. – Sammelbegriff: Trickblenden).   S. 46, 54, 76, 146, 149.

By Products   →Merchandising

Cliffhanger   Dramaturgisches Prinzip; eine Filmszene oder der Schluss einer Serienfolge endet nicht mit dem Abschluss einer dramatischen Handlung, sondern bricht auf dem Höhepunkt der Krisis unvermittelt ab und wird erst später (in der nächsten Folge) aufgelöst. Ursprünglich aus den Abenteuerserials der dreißiger Jahre übernommener Begriff, wo der Held tatsächlich häufig über einer Schlucht hing und die Bösewichter sich bedrohlich näherten. Heute bezeichnet C. meist psychologische Konfliktsituationen (vgl. *Lindenstraße, Verbotene Liebe* etc.).   S. 18.

Clip   Kurzer, meist schnell geschnittener Film, oft Synonym für Musikvideos.   S. 18, 89–97 (u. Abbn.), 99.

Continuity System (auch Hollywood-Stil, unsichtbarer Schnitt)   Klassisches Erzählmuster: konventionalisierte Einstellungsfolge, die der Zuschauerin/dem Zuschauer ein möglichst ungestörtes Filmerlebnis verschaffen soll. Sämtliche technischen Aspekte sollen zugunsten des Inhalts vollständig in den Hintergrund treten.   S. 47, 71–78, 79, 155.

Credits   Auflistung der Darsteller und des Produktionsstabes (im Vor- oder Nachspann). Die Reihenfolge der Namensnennung ist oft Ergebnis genauer vertraglicher Vereinbarung.   S. 57, 112, 149.

Credit Sequence   →Titelsequenz

Cross Cutting   Hin- und Herschneiden zwischen zwei oder mehreren Filmstreifen; Schnitttechnik bei der →Parallelmontage.   S. 62, 81, 148.

Cut   Schnitt (→Montage).

Cut Away   Zwischenschnitt, der von der eigentlichen Handlung kurzfristig wegführt (z. B. motiviert durch den Blick einer Person).   S. 147.

Cut Back   Im →Continuity System ein Schnitt, der nach einem Zwischenschnitt in die Szene zurückführt oder nach einer →Schuss/Gegenschuss-Folge in die Position des →Master Shot zurückspringt. S. 75, 147.

Cut In Im →Continuity System der Schnitt, der nach dem →Master Shot näher an die Handlungsträger heranführt. S. 73, 75, 147.

Cyberspace Virtuelle, computersimulierte Welt; der Begriff wurde erstmals in dem Roman *Neuromancer* (1984) von William Gibson verwendet. S. 91.

Daily Soap →Soap Opera

Director's Cut Vom Regisseur autorisierte Schnittfassung, die ursprünglich aus markt-strategischen Überlegungen von der Produzentenseite verändert wurde (→Final Cut). S. 58 f., 146.

Dolly Kamerawagen S. 23, 26.

Edutainment (Bildung aus Education und Entertainment) Lernprogramme mit un-terhaltendem, spielerischem Charakter. S. 144, 158.

Einstellung Ein kontinuierlich belichtetes Stück Film, begrenzt durch einen →Schnitt oder eine →Blende. S. 8, 13–29, 35, 49, 52, 54, 64, 66, 72 f., 75, 79 f., 84, 85, 86, 87, 88, 89, 98 f., 100, 104, 114, 123 f., 130 f.

Einstellungsgröße Zur Benennung der jeweiligen Bildgröße haben sich acht E. etab-liert: Detail, Groß, Nah, Halbnah, Amerikanisch, Halbtotal, Total, Weit/Panorama. S. 11, 14–18 (u. Abbn.), 19, 22, 23, 56, 73, 78 f., 137.

Establishing Scene (auch Opening) Eröffnungsszene. S. 114 f., 117.

Establishing Shot Die erste Einstellung eines Films oder eines neuen Handlungsab-schnitts (→Szene), die den Handlungsort einführt (in der Totalen oder Halbtotalen). S. 16, 72, 77, 79, 114, 147.

Exposition Einführung und Schilderung der Ausgangssituation eines Films (→Pro-log, →Titelsequenz, →Establishing Scene). Die E. ist ein wichtiger Bestandteil der filmischen Dramaturgie. Ähnlich der Literatur führt sie in Grundstimmung, Hand-lungsort, -zeit und -situation ein, stellt die Hauptpersonen vor und gibt u. U. schon erste Hinweise auf den Ausgang. S. 9, 25, 111–122 (u. Abbn.), 129, 130, 132, 133, 142.

Feinschnitt Schnittversion, die aus dem gefilmten Rohmaterial die richtigen Einstel-lungslängen und den filmischen Rhythmus extrahiert. S. 58.

Fill Light Seiten-/Aufhelllicht, reduziert die durch das →Key Light entstehenden Objektschatten. S. 33 f. (u. Abb.).

Film noir US-amerikanisches Subgenre des Kriminalfilms, das seine Blütezeit in den vierziger und fünfziger Jahren hatte. Die Filme – häufig nach Vorlagen aus der ›Hardboild‹-Kriminalliteratur von Raymond Chandler, Dashiel Hammett oder Cor-nell Woolrich – zeichnen sich aus durch ihre düstere Inszenierungstechnik (→Low Key) sowie eine pessimistische Menschen- und Weltsicht, als Spiegelbild von De-pression, Korruption und internationalen Krisen. Maßgeblich beeinflusst wurde der typische Stil des F. n. von emigrierten deutsch-jüdischen Regisseuren, die die In-szenierungstechnik des Halbdunkel aus dem deutschen →Stummfilm anwandten. S. 36, 90, 107, 156.

Final Cut Endschnitt eines Films, unterscheidet sich in manchen Fällen von der Schnittfassung des Regisseurs (→Director's Cut). S. 59.

Footage Film-/Bildmaterial (Stock Footage – Archivmaterial).

Frame Einzelbild, Standbild S. 54.

Froschperspektive Extreme →Untersicht. S. 20 (u. Abb.).

High Key Beleuchtungsstil, der eine Szenerie übermäßig hell erscheinen lässt. S. 35–38 (u. Abb.).

Hollywood-Stil   →Continuity System

Insert   Texteinblendung oder Zwischentitel.   S. 101, 131.

Jump Cut   Sprunghafter Schnitteffekt, der entsteht, wenn aus einer kontinuierlich
   aufgenommenen Einstellung Teile herausgeschnitten werden; eher seltene, weil
   deutlich wahrnehmbare Montageform.   S. 80.

Key Light   Haupt-/Führungslicht, bestimmt die Beleuchtung einer Szene.   S. 33 f.
   (u. Abb.), 146.

Kolorierung   Einfärbung eines Films Bild für Bild, entweder mit der Hand oder per
   Schablone (→Stummfilm).   S. 38 f.

Low Budget   Filme, die mit geringem finanziellem Aufwand gedreht werden.

Low Key   Beleuchtungsstil, der die Schattenpartien einer Szene betont.   S. 31 (Abb.),
   32 (Abb.), 36 f., 146.

Master Shot   Die erste Einstellung zu Beginn einer Szene oder einer Sequenz
   (→Establishing Shot). Technisch bezeichnet der M. S. eine länger gedrehte Aufnahme (Totale oder Halbtotale), die als Grundlage einer Szene oder Sequenz dient.
   Der M. S. wird dann beim Schnitt durch andere Aufnahmen (Halbnah, Nah, Groß)
   ergänzt (→Cut In, →Cut Back, →Cut Away).   S. 72–75 (u. Abb.), 146.

Match Cut   Besonders elegante Schnittfolge, die zwei räumlich und/oder zeitlich getrennte Handlungen verbindet, indem gleiche oder ähnliche Elemente aus der letzten Einstellung *vor* dem Orts-/Zeitwechsel unmittelbar *nach* dem Orts-/Zeitwech-
   sel wiederkehren (Objektbewegung, Kamerabewegung, ähnliche Formen etc.). Es
   entsteht ein harmonischer Übergang. Der M. C. ermöglicht selbst große Orts- oder
   Zeitsprünge, ohne dabei die Handlungskontinuität zu stören.   S. 79 f.

Matching Element   Wiederaufnahme von Bildelementen als Klammer.   S. 79.

MAZ   Magnetische Bildaufzeichnung.

Merchandising   Vermarktung von Programmen und/oder Figuren aus Filmen und
   Serien durch Produkte (by Products) wie T-Shirts, Videospiele, Taschen, Tassen,
   Spielzeug etc.   S. 140.

Mindscreen (*innere Leinwand*)   Durch die Kombination von Bildaufbau und Erzähl-
   inhalt wird deutlich, dass die Bilder auf der Leinwand die Visualisierung des Be-
   wusstseins einer Figur wiedergeben.   S. 108–111 (u. Abb.), 118, 122, 157.

Mise en Scène (frz., in Szene setzen)   Aus der Theaterarbeit entlehnter Ausdruck für
   die Komposition eines Filmbildes.   S. 8, 11, 47–52, 54 f., 109, 110, 123 u. 126 (Abbn.).

Montage (Schnitt)   Rein technisch: Bezeichnung für den handwerklichen Vorgang,
   Bild- und Tonmaterial aneinander zu fügen; ästhetisch: die Leistung, aus den einzelnen, unabhängig voneinander produzierten Bildern und Tönen ein homogenes
   Gesamtwerk zu schaffen.   S. 8, 9, 11, 46, 58–97 (u. Abbn.), 98 f., 110, 121, 127, 128,
   137, 145, 147, 157.

Montagesequenz   Rasche Abfolge von Bildern, um eine bestimmte Stimmung/Aus-
   sage zu treffen (beschreibende Montagesequenz) oder größere, zeitliche und/oder
   räumliche Handlungszusammenhänge zu raffen (zusammenfassende Montagesequenz).   S. 46, 67, 76–78 (u. Abb.), 97, 98, 145.

Normalsicht   Kameraperspektive aus der Augenhöhe.   S. 19, 149.

Normalstil   Beleuchtungsstil, der die natürliche Lichtwahrnehmung imitiert.   S. 35.

Nouvelle Vague   (frz., neue Welle) Bezeichnung für eine neue Filmbewegung in
   Frankreich. Ende der fünfziger Jahre begehrten junge Regisseure gegen das nivellie-
   rende traditionelle Kino auf und entwickelten in ihren Filmen ein Gegenmodell, in
   dem der Regisseur als unabhängiger Künstler fungierte und seinen individuellen
   Stil entwickeln konnte. Hauptvertreter: Claude Chabrol, Jean-Luc Godard, Alain

Resnais, Jacques Rivette, Eric Rohmer, François Truffaut. Die N. V. beeinflusste auch andere Filmbewegungen der sechziger Jahre, wie den Neuen Deutschen Film, das New British Cinema und das New American Cinema.   S. 26, 70.

Nullkopie   Die erste lichtbestimmte Kopie auf der Grundlage des → Feinschnitts. S. 58.

Obersicht → Aufsicht

On-/Off-Ton   Alle Töne, deren Quellen im Bild zu sehen sind, nennt man On-Töne (on screen), alle Tonquellen außerhalb des Bildes Off-Töne (off screen).   S. 11, 42 f., 44, 70, 96, 102, 131.

Over Shoulder Shot   Konvention im → Continuity System: Bei einer Unterhaltung wird Person A ›über die Schulter‹ von Person B aufgenommen, sodass Person B am Bildrand im Vordergrund, z. B. im Profil, sichtbar ist.   S. 74 f. (u. Abb.).

Packshot   Begriff aus der Werbebranche, der die Aufnahme des zu bewerbenden Produkts bezeichnet.   S. 92.

Parallelmontage   Einstellungswechsel zwischen zwei oder mehr simultanen, aber räumlich getrennten Handlungen; Schnitttechnik → Cross Cutting.   S. 62, 81–86 (u. Abb.), 98 f., 145, 147.

Plansequenz (*Sequence Shot*)   Eine lange Einstellung, in der die Kamera komplizierte Bewegungen ausführt, wodurch Beziehungen zwischen Figuren, Objekten und Räumen hergestellt werden können.   S. 59, 86–89 (u. Abb.), 99, 114, 116, 118–122 (u. Abb.), 131, 141, 147.

Plot   Handlungsverlauf: die Elemente der erzählten Geschichte, wie sie im Film tatsächlich vorkommen (→ Story).

Point of View Shot   Kurze Einstellung aus der subjektiven Perspektive.   S. 111, 120.

Pre Credit Sequence → Prolog

Prolog (*Pre Credit Sequence*)   Szene vor der → Titelsequenz, die eine meist spannungsgeladene Vorgeschichte erzählt; wird häufig in Fernsehserien eingesetzt. S. 88, 110, 111, 112, 146.

Reflektorfigur   Die Figur in der Filmhandlung, die dem Publikum an die Seite gestellt ist. Man erhält stets die gleichen Informationen wie die R. und erlebt mit ihr die Ereignisse.   S. 106 f. (u. Abb.), 111, 143.

Road Movie   Genrebezeichnung für Filme, in denen die motorisierte Reise mittels PKW oder Motorrad konstitutives Handlungselement ist. Die Reise ist in vielen R. M. gleichsam Inbegriff von Freiheit und Unabhängigkeit – insofern sind sie quasi die Fortsetzung des Western.   S. 24, 136.

Rohschnitt   Erste Auswahl und Anordung des gedrehten Filmmaterials (Arbeitskopie).   S. 58.

Schnitt → Montage

Schuss/Gegenschuss (*Shot Reverse Shot*; Abk. SRS)   Konventionelle Form der filmischen Auflösung, z. B. eines Gesprächs zweier Personen: Die Beteiligten werden abwechselnd im Bild gezeigt.   S. 73–75 (u. Abbn.), 78, 80, 104, 145.

Screwball Comedy   Frühe Tonfilmkomödie, die sich durch rasanten Wortwitz und exzentrisches Personal auszeichnet.   S. 34 f.

Sende-/Theaterkopie   Die endgültigen Filmkopien für die Fernsehaustrahlung bzw. den Kinoeinsatz.   S. 58.

Sequence Shot → Plansequenz

Sequenz   ›Kapitel‹ eines Films, durch Orts- und/oder Zeitwechsel definiert. S. 82–85, 130–134 [S.-Protokolle].

Set   Drehort   S. 33, 35, 37.

Shot → Einstellung

Soap Opera   Unbegrenzte Serienform mit festumrissenem Personenkreis, in den USA ursprünglich im Radio, später im Fernsehen von Waschmittelkonzernen gesponsert, um Hausfrauen tagsüber zu erreichen. Die ersten, ›edleren‹ Soap Operas, die im deutschen Fernsehen gesendet wurden, waren *Dallas* und *Der Denver-Clan*. Man unterscheidet heute zwischen Weekly Soaps (*Lindenstraße*) und Daily Soaps (*Verbotene Liebe*; *Gute Zeiten, schlechte Zeiten* etc.).   S. 37, 137, 138.

Soundtrack   Die gesamte Musik eines Films – sowohl die eigens für den Film komponierte Musik wie auch verwendete Fremdstücke.   S. 42.

Split Screen   Geteilte Leinwand, zwei oder mehrere Handlungen werden gleichzeitig auf der Leinwand gezeigt (im Unterschied zur → Parallelmontage).

Steadicam   Gefederte Tragekonstruktion, die dem Kameramann verwacklungsfreie Bilder bei Bewegungen durch den Raum ermöglicht.   S. 23, 26, 87, 114 f.

Story (Fabel)   Die Geschichte des Films, die sich das Publikum aus den Informationen der Handlung erschließt, indem es diese vervollständigt.

Storyboard   Zeichnerische Version des Drehbuchs, in der wie bei einem Comic die Einstellungen Bild für Bild genau festgelegt werden können.   S. 98, 99, 129.

Stummfilm   Erste Phase der Filmentwicklung vor der Einführung der Tonspur (1895–1925).   S. 29 f., 36, 38 f., 42, 57, 59, 68, 137, 146, 147, 156.

Szene   Handlungseinheit, durch die Einheit von Zeit und Ort gekennzeichnet (→ Sequenz).   S. 72–76.

Technicolor   Aufwendiges Farbfilmverfahren, bei dem die drei auf einzelnen Filmstreifen belichteten Grundfarben im Labor auf einen Filmstreifen gedruckt werden. Technicolorfilme (1917–1978) zeichnen sich durch eine besonders brillante Farbwiedergabe aus.   S. 39.

Theaterkopie → Sende-/Theaterkopie

Titelmusik   Gibt durch ihren Charakter bereits vor dem Einsetzen der Handlung eine Grundstimmung für den Film vor. In der T. wird das musikalische Leitmotiv vorgestellt, das im Verlaufe des Films immer wieder in Variationen zu hören ist.   S. 45.

Titelsequenz (*Credit Sequence*, auch Vorspann)   Bis in die vierziger Jahre enthielt die T. alle wichtigen → Credits und war vor den Beginn der Spielhandlung geschnitten, später zunehmend in die Spielhandlung integriert oder auch als eigenständige ästhetische Szene konzipiert.   S. 112, 112–114 (u. Abb.), 146, 148.

Überblendung → Blende;   S. 54, 58, 76, 78, 90, 113, 114, 117.

Untersicht   Kameraperspektive aus einer niedrigeren vertikalen Position als der → Normalsicht.   S. 19–22 (u. Abbn.), 39, 56, 74, 109, 131, 146.

Viragierung   Gleichmäßiges Einfärben der Negativstreifen (→ Stummfilm).   S. 38.

Virtuelle Realität (lat., der Kraft oder der Möglichkeit nach vorhanden)   Künstliche Gegenrealität bzw. andere Realität, die hauptsächlich von modernen Computerspielen und im Internet angeboten wird.   S. 23, 80, 142 f. (u. Abbn.), 146.

Vogelperspektive   Extreme → Auf-/Obersicht.   S. 20, 21 f. (u. Abb.)

Voice Over   Erzählstimme, die den Bildern des Films unterlegt ist.   S. 44, 87, 101, 102, 104 f., 106, 107 f., 110 f.

Weekly Soap → Soap Opera

Widescreen   Breitwand.

Wischblende → Blende

Zoom   Durch die Veränderung der Brennweite am Kameraobjektiv wird eine Hin- oder Rückfahrt imitiert. Ein Z. verzeichnet jedoch die tatsächlichen Größenverhältnisse.   S. 28 f., 96.

Filmografie

Sämtliche im Buch erwähnten Filme werden aufgeführt mit dem deutschen Verleihtitel, dem Originaltitel (in Klammern), dem Produktionsland, dem Jahr der Erstaufführung, dem Namen der Regisseurin/des Regisseurs und dem Seitenverweis. Bei den Fernsehserien wurde wegen des häufigen Wechsels auf die Namensnennung der Regisseurinnen und Regisseure verzichtet.

Literaturhinweise

Zur besseren Übersicht ist die ausgewählte Sekundärliteratur nach Oberthemen sortiert. Neben den ›Klassikern‹ sind vor allem aktuellere Neuerscheinungen aufgeführt. Bei den Zeitschriften sind die wichtigen filmkritischen und -ästhetischen deutschsprachigen Periodika berücksichtigt. Daneben verweisen wir auf die zahlreichen thematischen Schwerpunkte zu Film und Fernsehen in den jeweiligen Schul-Fachzeitschriften, wie *Praxis Deutsch* (Seelze), *Deutschunterricht* (Berlin) oder *Der Fremdsprachliche Unterricht* (Seelze).

Sekundärliteratur (Auswahl)

Nachschlagewerke

Buchers Enzyklopädie des Films. Hg. Liz-Anne Bawden. Edition der deutschen Ausgabe von Wolfram Tichy. Luzern/Frankfurt a. M.: Bucher 1977.

Chronik des Films. In Zusammenarbeit mit dem Deutschen Institut für Filmkunde, Frankfurt a. M. Gütersloh/München: Chronik-Verlag 1996.

CineGraph. Lexikon zum deutschsprachigen Film. Hg. Hans-Michael Bock. München: edition text + kritik 1984 ff.

Film und Fernsehen in Forschung und Lehre. Lehrveranstaltungen an Universitäten u. Hochschulen, Hochschulschriften u. a. wissenschaftl. Arbeiten im deutschsprachigen Raum. Hg. Stiftung Deutsche Kinemathek. Redaktion: Helga Belach. Berlin: Stiftung Deutsche Kinemathek 1981 ff. [ab 1987 (Nr. 10) in Zus.arbeit mit der HBK Braunschweig].

Film- und Fernsehliteratur der DDR. 1946–1983. Eine annotierte Bibliographie-Auswahl. Konzeption, Zusammenstellung Alfred Krautz/Hermann Herlinghaus. Hg. Hochschule für Film und Fernsehen der DDR. Potsdam-Babelsberg: Eigenverlag 1984.

Fischer Film Almanach. Filme, Festivals, Tendenzen. Mit Video-Erstaufführungen. Hg. Walter Schobert/Horst Schäfer. Frankfurt a. M.: Fischer 1980 ff.

Hahn, Ronald M./Volker *Jansen*: Lexikon des Horror-Films. Bergisch Gladbach: Bastei 1989.

– : Lexikon des Science Fiction Films. 1 500 Filme von 1902 bis heute. München: Heyne 1992.

Hembus, Joe: Das Westernlexikon. 1 567 Filme von 1894 bis heute. München: Heyne 1995.

Kurowski, Ulrich: Lexikon Film. Hundert × Geschichte/Technik/Theorie/Namen/Daten/Fakten. München: Hanser 1972.

Lexikon des Internationalen Films. Das komplette Angebot in Kino, Fernsehen und auf Video. Hg. Katholisches Institut für Medieninformation (KIM) und Katholische Filmkommission für Deutschland. Red. Horst Peter Koll u. a. Reinbek: Rowohlt 1997.

Lexikon Literaturverfilmungen. Deutschsprachige Filme 1945–1990. Zusammengestellt von Klaus M. und Ingrid Schmidt. Stuttgart: Metzler 1995.

Metzler Film Lexikon. Hg. Michael Töteberg. Stuttgart/Weimar: Metzler 1995.

Netenjakob, Eugen: TV-Filmlexikon. Regisseure, Autoren, Dramaturgen 1952–1992. Frankfurt a. M.: Fischer 1994.

Sachlexikon des Films. Hg. Rainer Rother. Reinbek: Rowohlt 1997.
Zurhorst, Meinolf: Lexikon des Kriminalfilms. 350 Filme von 1900–1985. München: Heyne 1985.

Filmgeschichte und -theorie

Arnheim, Rudolf: Film als Kunst (1932). Hg. Helmut H. Diederichs. München: Hanser 1974.
Balázs, Béla: Schriften zum Film. Bd. 1: Der sichtbare Mensch. Kritiken und Aufsätze 1922–1926; Bd. 2: Der Geist des Films. Artikel und Aufsätze 1926–1931. Hg. Helmut H. Diederichs/Wolfgang Gersch. Berlin: Henschel 1982/84.
Barthes, Roland: Das Reich der Zeichen. Frankfurt a. M.: Suhrkamp 1982.
Bazin, André: Was ist Kino? Bausteine zur Theorie des Films. Mit einem Vorwort von Eric Rohmer und einem Nachwort von François Truffaut. Köln: DuMont 1975.
Benjamin, Walter: Das Kunstwerk im Zeitalter seiner technischen Reproduzierbarkeit. Kritisch durchgesehen von H. Schweppenhäuser und Rolf Tiedemann. Frankfurt a. M.: Suhrkamp 1963.
Bordwell, David/Janet *Staiger*/Kristin *Thompson*: The Classic Hollywood Cinema. Film Style and Mode of Production to 1960. London: Routledge 1988.
Brownlow, Kevin: Pioniere des Films. Basel/Frankfurt a. M.: Stroemfeld 1997.
Caligari und Caligarismus. Red. Walter Kaul. Berlin: Deutsche Kinemathek 1970.
Eisenstein, Sergej M.: Schriften 3: Oktober. Hg. Hans-Joachim Schlegel. München: Hanser 1975.
– : Yo – Ich selbst. Memoiren. 2 Bde. Hg. Naum Klejman/Walentina Korschunowa. Frankfurt a. M.: Fischer 1988.
Eisner, Lotte H.: Die dämonische Leinwand. Frankfurt a. M.: Fischer 1980.
Engell, Lorenz: Sinn und Industrie. Einführung in die Filmgeschichte. Frankfurt a. M./New York/Paris: Campus 1992.
Der Stummfilm. Konstruktion und Rekonstruktion. Hg. Elfriede Ledig. München: Schaudig/Bauer/Ledig 1988.
Die Metaphysik des Dekors. Raum, Architektur und Licht im klassischen deutschen Stummfilm. Hg. Klaus Kreimeier. Berlin: Schüren 1994.
Donner, Wolf: Propaganda und Film im »Dritten Reich«. Berlin: TIP-Verlag 1995.
Fischer Filmgeschichte. 5 Bde. Hg. Werner Faulstich/Helmut Korte. Frankfurt a. M.: Fischer 1990/95.
Geschichte des deutschen Films. Hg. Wolfgang Jacobsen/Anton Kaes/Hans Helmut Prinzler. Stuttgart/Weimar: Metzler 1993.
Gregor, Ulrich/Enno *Patalas*: Geschichte des Films. Gütersloh: Mohn 1962.
Kino-Debatte. Texte zum Verhältnis von Literatur und Film 1909–1929. Hg. Anton Kaes. Tübingen: Niemeyer 1978.
Kracauer, Siegfried: Kino. Essays, Studien, Glossen zum Film. Hg. Karsten Witte. Frankfurt a. M.: Suhrkamp 1974.
– : Theorie des Films. Die Errettung der äußeren Wirklichkeit. Hg. Karsten Witte. Frankfurt a. M.: Suhrkamp 1979.
– : Von Caligari zu Hitler. Eine psychologische Geschichte des deutschen Films. Hg. K. Witte. Frankfurt a. M.: Suhrkamp 1984.
Metz, Christian: Semiologie des Films. München: Fink 1972.
– : Sprache und Film. Frankfurt a. M.: Athenäum 1973.

Müller, Corinna: Frühe deutsche Kinematographie. Formale, wirtschaftliche und kulturelle Entwicklungen. Stuttgart/Weimar: Metzler 1994.

Opl, Eberhard: Das filmische Zeichen als kommunikationswissenschaftliches Phänomen. München: Ölschläger 1990.

Pauli, Hansjörg: Filmmusik: Stummfilm. Stuttgart: Klett-Cotta 1981.

Prokop, Dieter: Soziologie des Films. Frankfurt a. M.: Fischer 1982.

Pudowkin, Wsewolod: Die Zeit in Großaufnahme. Erinnerungen, Aufsätze, Werkstattnotizen. Berlin: Henschel 1993.

Schklowski, Viktor: Eisenstein. Romanbiographie. Berlin: Volk und Welt 1986.

Sergej Eisenstein im Kontext der russischen Avantgarde 1920–1925. Ausstellungskatalog. Red. Claudia Dillmann-Kühn. Frankfurt a. M.: Deutsches Filmmuseum 1992.

Steinbauer-Grötsch, Barbara: Die lange Nacht der Schatten. Film Noir und Filmexil. Berlin: Bertz 1997.

Texte zur Theorie des Films. Hg. Franz Josef Albersmeier. Stuttgart: Reclam 1979.

Toeplitz, Jerzy: Geschichte des Films. 5 Bde. Berlin: Henschel 1991.

Truffaut, François: Mr. Hitchcock, wie haben Sie das gemacht? München: Heyne 1973.

Werner, Paul: Film Noir. Die Schattenspiele der »schwarzen Serie«. Frankfurt a. M.: Fischer 1985.

Winter, Rainer: Filmsoziologie. Eine Einführung in das Verhältnis von Film, Kultur und Gesellschaft. München: Quintessenz 1993.

Wuss, Peter: Kunstwert des Films und Massencharakter des Mediums. Konspekte zur Geschichte der Theorie des Spielfilms. Berlin: Henschel 1990.

Filmanalyse und -interpretation

Bordwell, David: Narration in the Fiction Film. Madison/Wisconsin: Methuen 1985.

Faulstich, Werner: Die Filminterpretation. Göttingen: Vandenhoeck & Ruprecht 1988.

Gast, Wolfgang: Film und Literatur. Grundbuch: Einführung in Begriffe und Methoden der Filmanalyse. Frankfurt a. M.: Diesterweg 1993.

Heller, Eva: Wie Farben wirken. Reinbek: Rowohlt 1989.

Hickethier, Knut: Film- und Fernsehanalyse. Stuttgart/Weimar: Metzler 1993.

Kawin, Bruce: Mindscreen. Bergman, Godard, and First Person Film. Princeton: University Press 1978.

Kozloff, Sarah: Invisible Storytellers. Voice-Over Narration in American Fiction Film. Berkeley/Los Angeles/London: University of California Press 1988.

Monaco, James: Film verstehen. Kunst, Technik, Sprache, Geschichte und Theorie des Films und der Medien. Überarb. u. erw. Neuausgabe. Reinbek: Rowohlt 1995.

Siegrist, Hansmartin: Textsemantik des Spielfilms. Zum Ausdruckspotential der kinematographischen Formen und Techniken. Tübingen: Niemeyer 1986.

Steiner, Ulrike/Peter *Willnauer*: Kino ist super! Mehr sehen – besser verstehen – mehr Spaß am Kino! Linz: Grosser 1995.

Wollen, Peter: Signs and Meaning in the Cinema. London: Secker und Warburg 1972.

Wuss, Peter: Filmanalyse und Psychologie. Strukturen des Films im Wahrnehmungsprozeß. Berlin: Edition Sigma 1993.

Filmpraxis

Dunker, Achim: »Die chinesische Sonne scheint immer von unten«. Licht- und Schattengestaltung im Film. München: TR-Verlagsunion 1997.

Handbuch der Filmmontage. Praxis und Prinzipien des Filmschnitts. Hg. Hans Beller. München: TR-Verlagsunion 1993.

Kandorfer, Pierre: DuMont's Lehrbuch der Filmgestaltung. Theoretisch-technische Grundlagen der Filmkunde. Köln: DuMont 1994.

Koshofer, Gert: Color. Die Farben des Films. Berlin: Spiess 1988.

Maas, Georg/Achim *Schudack*: Musik und Film – Filmmusik. Informationen und Modelle für die Unterrichtspraxis. Mainz: Schott 1994.

Making of … Wie ein Film entsteht. Hg. Dirk Manthey. Hamburg: Kino Verlag 1996.

Reisz, Karel/Gavin *Millar*: Geschichte und Technik der Filmmontage. München: Filmlandpresse 1988.

Schreiben für den Film. Das Drehbuch als eine andere Art des Erzählens. Hg. Jochen Brunow. München: edition text + kritik 1989.

Seeger, Linda: Das Geheimnis guter Drehbücher. Berlin: Alexander Verlag 1997.

Vogler, Christopher: Die Odyssee des Drehbuchschreibens. Frankfurt a. M.: Zweitausendeins 1997.

Film und Literatur

Berühmte Erzählungen, große Filme. Hg. Bernhard Matt. München: Heyne 1985.

Das Kinobuch. Kinostücke von Bermann, Hasenclever, Langer, Lasker-Schüler, Keller, Asenijeff, Brod, Pinthus, Jolowicz, Ehrenstein, Pick, Rubiner, Zech, Höllriegel, Lautensack und ein Brief von Franz Blei. Hg., Vorw. Kurt Pinthus. Zürich: Arche 1963.

Esslin, Martin: Die Zeichen des Dramas. Theater, Film, Fernsehen. Reinbek: Rowohlt 1989.

Filme. Hg. Jens Becker. Heidelberg: Volksfreund Druckerei 1988.

Film und Literatur. Analysen, Materialien, Unterrichtsvorschläge. Hg. Wolfgang Gast. 4 Bände. Frankfurt a. M.: Diesterweg 1993/95.

Film und Literatur. Literarische Texte und der neue deutsche Film. Hg. Sigrid Bauschinger/Susan Cocalis/Henry Lea. Bern/München: Francke 1984.

Film und Literatur in Amerika. Hg. Alfred Weber/Bettina Friedl. Darmstadt: Wissenschaftl. Buchgesellschaft 1988.

Heller, Heinz-B.: Literarische Intelligenz und Film. Zur Veränderung der ästhetischen Theorie und Praxis unter dem Eindruck des Films 1910–1930 in Deutschland. Tübingen: Niemeyer 1985.

Kein Tag ohne Kino. Schriftsteller über den Stummfilm. Hg. Fritz Güttinger. Frankfurt a. M.: Deutsches Filmmuseum 1984.

Literaturverfilmungen. Hg. Gerhard Adam. München: Oldenbourg 1984.

Literaturverfilmungen. Hg. Franz-Josef Albersmeier/Volker Roloff. Frankfurt a. M.: Suhrkamp 1989.

Literaturwissenschaft – Medienwissenschaft. Hg. Helmut Kreuzer. Heidelberg/Tübingen: Niemeyer 1996.

Paech, Joachim: Literatur und Film. Stuttgart: Metzler 1988.

Reif, Monika: Film und Text. Zum Problem von Wahrnehmung und Vorstellung in Film und Literatur. Tübingen: Narr 1984.

Medienwirkung

Leu, Hans-Rudolf: Wie Kinder mit Computern umgehen. Studie zur Entzauberung einer neuen Technologie in der Familie. München: Deutsches Jugendinstitut 1993.

McLuhan, Marshall: Die Gutenberg-Galaxis. Am Ende des Buchzeitalters. Bonn: Addlson-Weseley 1995.

– /Bruce R. *Powers*: The Global Village. Der Weg der Mediengesellschaft in das 21. Jahrhundert. Paderborn: Junfermann 1996.

Meyrowitz, Joshua: Überall und nirgends dabei. Die Fernsehgesellschaft I. Weinheim/Basel: Beltz 1990.

– : Wie Medien unsere Welt verändern. Die Fernsehgesellschaft II. Weinheim/Basel: Beltz 1990.

Neue Medien – Edutainment – Medienkompetenz. Deutschunterricht im Wandel. Hg. Hans Dieter Erlinger. München: KoPäd 1997.

Postman, Neil: Das Verschwinden der Kindheit. Frankfurt a. M.: Fischer 1983.

– : Wir amüsieren uns zu Tode. Frankfurt a. M.: Fischer 1988.

Sturm, Hertha: Fernsehdiktate: Die Veränderung von Gedanken und Gefühlen. Ergebnisse und Folgerungen einer rezipientenorientierten Mediendramaturgie. Gütersloh: Bertelsmann Stiftung 1991.

Werbung in Theorie und Praxis. Hg. Karl Schneider. Waiblingen: M + S (Verlag für Marketing und Schulung) 1994.

Winterhoff-Spurk, Peter: Fernsehen. Psychologische Befunde zur Medienwirkung. Bern/Stuttgart/Toronto: Huber 1986.

Zeitschriften

Arnoldshainer Filmgespräche. In Zusammenarbeit mit der Evangelischen Akademie Arnoldshain und dem Gemeinschaftswerk der Evangelischen Publizistik. Frankfurt a. M.

Ästhetik, Pragmatik und Geschichte der Bildschirmmedien. Universität-GH-Siegen.

Augen-Blick. Marburger Hefte zur Medienwissenschaft. Eine Veröffentlichung des Instituts für Neuere deutsche Literatur und Medien im Fachbereich 09 der Philips-Universität Marburg.

epd Film. Zeitschrift des Evangelischen Pressedienstes. Hg. Gemeinschaftswerk der Evangelischen Publizistik. Frankfurt a. M.

Filmbulletin – Kino in Augenhöhe. Redaktion: Walter R. Vian. Winterthur.

film-dienst. Hg. Katholisches Institut für Medieninformation in Zusammenarbeit mit der Katholischen Filmkommission für Deutschland. Köln.

Media Perspektiven. Hg. im Auftrag der ARD-Werbegesellschaften. Frankfurt a. M.

medien + erziehung. Hg. Erwin Schaar/Bernd Schorb/Helga Theunert und Institut Jugend Film Fernsehen. München.

medien praktisch. Medienpädagogische Zeitschrift für die Praxis. Hg. Gemeinschaftswerk der Evangelischen Publizistik. Frankfurt a. M.

Medienwissenschaft. Rezensionen. Reviews. Hg. Jürgen Felix/Heinz-B. Heller/Karl Prümm/Karl Riha. Marburg.

montage/av. Zeitschrift für Theorie & Geschichte audiovisueller Kommunikation. Hg. Gesellschaft für Theorie & Geschichte audiovisueller Kommunikation. Berlin.

Zoom. Zeitschrift für Film. Hg. Katholischer und Evangelischer Mediendienst. Zürich.

Bildnachweise

Wir danken allen Personen und Institutionen, die uns die Erlaubnis zur Reproduktion gegeben haben. Leider ist es uns bis Druckbeginn nicht in allen Fällen gelungen, mit den Rechteinhabern in Verbindung zu treten. Wir bitten darum, Ansprüche gegebenenfalls nachträglich beim Verlag anzuzeigen.

Kamp, Werner/Manfred Rüsel, Köln/Aachen: sämtliche Videoprints.

Association frères Lumière, Bois d'Arcy, F: Abb. 15 (LUMIÈRE).
Brainstorm Production, Kopenhagen, DK: Abb. 19 (BRAINSTORM PRODUCTION).
Concorde, München: Abb. 32 (NEW LINE CINEMA).
Edgar Reitz Filmproduktion GmbH, München: Abb. 12 (ARD).
Fassbinder Foundation, Berlin: Abb. 36 (TANGO).
Friedrich-Wilhelm-Murnau Stiftung, Wiesbaden: Abb. 4a u. 10 (UFA); 38a (UFA).
Hemdale Leisure, Los Angeles, USA: Abb. 4b (ORION).
Interfilm-Produktion, Wiesbaden: Abb. 17 (MOSFILM).
Jugendfilm-Verleih GmbH, Berlin: Abb. 7 (CASTLE ROCK ENTERTAINMENT).
La Librairie du Collectionneur, Paris: Abb. 9a [aus: Henri Alekan: Des Lumières et des ombres. Paris: La Librairie du Collectionneur 1991].
Les Grands Films Classiques, Paris, F: Abb. 18 (LUIS BUÑUEL PROD.).
Ott, Doris, Aachen: Abb. 1, 8, 16 [grafische Gestaltung].
Progress Film-Verleih GmbH, Berlin: Abb. 5 u. 21 (DEFA).
Sega Saturn, Japan/USA: Abb. 25 (SEGA).
Taurus Film GmbH, Ismaring: Abb. 6 (RKO).
Twentieth Century Fox Film Corporation, Beverly Hills, CA, USA: Abb. 30 u. 33 (FOX).
United International Pictures, Frankfurt a. M.: Abb. 2 u. 3 (MGM); 11 (MGM); 13 u. 20 (UNIVERSAL); 22 (PARAMOUNT); 23 (UNIVERSAL, Amblin); 28 (MGM); 38b (PARAMOUNT TELEVISION).
VG Bild-Kunst, Bonn: Abb. 9b (DISCINA).
Viva, Köln: Abb. 37.
Warner Home Video, Burbank, CA, USA: Abb. 14, 26 u. 27, 29, 34 (WARNER BROS.); 35 (ALFA).
Warner Bros., Hamburg: Abb. 24 u. 31 (COLUMBIA).